Petits Contes Humoristiques

THE MACMILLAN COMPANY
NEW YORK · CHICAGO
DALLAS · ATLANTA · SAN FRANCISCO
LONDON · MANILA
BRETT-MACMILLAN LTD.
TORONTO

Petits Contes Humoristiques

By PIERRE MACY *College of William and Mary*

and HENRY A. GRUBBS *Oberlin College*

THE MACMILLAN COMPANY

New York

Preface

Petits Contes Humoristiques is a collection of forty-eight humorous
anecdotes, most of them original, and written in an easy every-
day French. They are diversified, and increase gradually both in
length and in difficulty.

AIMS   *Petits Contes Humoristiques* is a textbook primarily designed
for aural and oral drill, and to serve as a point of departure for
practice in oral and written composition. The *contes* are intended
to be used, so to speak, as the central trunk from which may branch
out the many varied activities by which an up-to-date class in
French makes rapid progress toward proficiency in self-expression
and the mastery of the language.

LEVEL   While the *contes* in the *Première Partie*, along with the
easier exercises, can be used as early as the middle of the first year
of college French, the book is especially well adapted to inter-
mediate college courses and the corresponding high school courses,
on account of the advanced nature of many of the exercises in the
Deuxième and *Troisième Parties*.

Petits Contes Humoristiques, without the aural and oral exercises,
can also be used to excellent advantage as early as the second
semester of college French, in an accompanying course emphasizing
a rapid and progressive reading ability, with a minimum of oral
work.

QUESTIONNAIRES DISCUSSIONS EXERCISES   A detailed *Questionnaire*
accompanies each story. This, along with the simpler exercises,
should furnish sufficient material for aural-oral drill, dictation,
composition, etc., in classes which find the *Discussions* and the
various types of free composition exercises too difficult.

The *Discussions*, dramatization and free composition exercises are
included with the hope that they will prove stimulating to teachers

who are anxious to push their students rapidly along to real conversational ability and mastery of the language, and to students who are willing to make the intelligent and constant effort necessary to acquire such ability and mastery.

The *Discussions* branch out in all directions from the stories. The authors have done their best to keep them on an adult level, and to bring into them situations and problems of real interest to adult minds. Admittedly, the resulting class discussions will be at first halting and rather restricted, but they should in any case prove to be, even at the beginning, the source of more satisfaction to the students than conversations about childish or ridiculous topics!

VISIBLE VOCABULARY   A visible vocabulary is provided for each story, giving words not found in the basic vocabulary which it is assumed the student has already acquired. For the *Première Partie*, the basic vocabulary is the *1a* section of Tharp's *Basic French Vocabulary;* for the *Deuxième Partie*, it is the *1a* and *1b* sections, and for the *Troisième Partie*, the *1a*, *1b* and *1c* sections of the *Basic French Vocabulary*. All words found in the stories are included in the *Vocabulaire* given at the back of the book.

USE OF A DICTIONARY   The student will obviously need a dictionary in order to prepare satisfactorily the *Discussions* and to do creditably the free composition exercises. It is the authors' belief that, whereas basic vocabularies have their uses, a student should not be confined to a limited vocabulary. They know that real mastery of the language involves a rapid development of the vocabulary in many directions. For this purpose, an early acquisition of the dictionary habit is indeed necessary.

The authors will be greatly gratified if students find *Petits Contes Humoristiques* an interesting and helpful book in their study of the French language.

The authors take pleasure in expressing their gratitude to Madame Hubert Pernot, Madame Nicolette Pernot Ringgold, and to Professor Marcel Reboussin, of the College of William and Mary, for their many valuable suggestions and their careful reading of the proofs. They wish to acknowledge, also, their appreciation to Mr. Robert Langstadt for the excellent illustrations he has provided.

P. M.   H. A. G.

Table des Matières

Première Partie

1. Un bon client

Un vieux vagabond entre dans un très modeste restaurant d'un quartier populeux de Marseille.

—Combien coûte la portion de bœuf? demande-t-il d'une voix humble.

—Cinquante francs, lui répond le garçon. ⁵

—Cinquante francs!

—Oui, cinquante francs, répète le garçon.

—Et la sauce?

—La sauce? Rien du tout, naturellement.

—Alors, donnez-moi une portion de sauce, s'il vous plaît! ¹⁰ commande le vagabond avec assurance. Je la mangerai avec le morceau de pain que j'ai dans ma poche . . .

---

client *m.* customer. —**quartier** *m.* quarter, district. —**populeux** populous. —**combien** how much. —**bœuf** *m.* beef. —**garçon** *m.* waiter. —**rien du tout** nothing at all. —**s'il vous plaît** please. —**commander** to order. —**morceau** *m.* piece. —**pain** *m.* bread. —**poche** *f.* pocket.

QUESTIONNAIRE

1. Le vagabond était-il jeune?
2. Le restaurant était-il élégant?
3. Dans quelle partie de Marseille le restaurant se trouvait-il?
4. Que voulait-il savoir, ce bon client?
5. De quelle sorte de voix a-t-il posé sa question?
6. Quelle fut la réponse du garçon?
7. Qu'est-ce que le vagabond a commandé?
8. Qu'avait-il dans sa poche?
9. Faites une description détaillée du dessin qui illustre ce conte. (*Le professeur saura tirer parti d'une telle description orale et pourra répéter cet excellent exercice de conversation pour chacun des contes qui suivent.*)

DISCUSSION

1. Savez-vous où est Marseille? Montrez Marseille sur la carte de France.
2. Est-ce que Marseille est au nord ou au sud de la France?
3. Comment est-ce qu'on appelle le sud de la France?
4. Savez-vous si Marseille est un port sur l'Atlantique?
5. Nommez quelques ports américains sur l'Atlantique . . . sur le Pacifique.
6. Préférez-vous le bœuf avec ou sans sauce?
7. Est-ce que vous avez du pain dans votre poche?
8. Le titre du conte est-il sérieux ou ironique?

EXERCICES

1. Racontez cette histoire sous la forme d'un dialogue entre le vagabond et le garçon.
2. Continuez le conte par une remarque du garçon et la réponse que ferait le vagabond.
3. Racontez UN BON CLIENT à la première personne: (a) raconté par le vagabond, (b) raconté par le garçon.

2. *Le parapluie*

L'incident suivant se passe dans un café parisien. Un homme, maigre et de petite taille, touche timidement de la main le bras d'un homme grand et corpulent qui se dirige vers la porte avec un parapluie.

—Pardon, monsieur, demeurez-vous à Nancy? 5

—Non, je ne demeure pas à Nancy, je demeure à Paris.

—Vous appelez-vous Georges Bertin?

—Non, je ne m'appelle pas Bertin. Je suis Jean Marchal, répond l'homme au parapluie d'un air impatienté.

—Eh bien, voyez-vous, monsieur, continue l'homme timide 10 qui parle maintenant presque à voix basse, je demeure à Nancy, je suis Georges Bertin, et c'est *son* parapluie que vous êtes en train d'emporter!

parapluie *m.* umbrella. —**suivant** following. —**maigre** thin. —**taille** *f.* stature. —**se diriger** to make one's way. —**demeurer** to live, dwell. —**eh bien** well. —**à voix basse** in a whisper. —**vous êtes en train de** you are in the act of.

QUESTIONNAIRE

1. Où cet incident se passe-t-il?
2. Vers quoi l'homme corpulent se dirige-t-il?
3. De quelle façon le petit homme touche-t-il le bras de l'homme corpulent?
4. Qu'est-ce que le petit homme demande?
5. Où est-ce que l'homme corpulent demeure?
6. Comment s'appelle l'homme corpulent?
7. De quel ton est-ce que Jean Marchal répond?
8. Comment Georges Bertin parle-t-il à la fin?
9. Où demeure Georges Bertin?
10. A qui est le parapluie?

DISCUSSION

1. Est-ce que Nancy est en France?
2. Quand on voyage de Paris à Nancy, dans quelle direction voyage-t-on?
3. Comment s'appelait la province dans laquelle Nancy est située?
4. Quelle Française célèbre est née dans cette province? Pouvez-vous raconter son histoire?
5. Connaissez-vous une chanson française qui parle de cette province?
6. Quand faut-il prendre un parapluie?
7. Est-ce qu'il pleut plus souvent à Paris que chez vous?
8. Est-ce qu'un café est la même chose qu'un restaurant?
9. Quels sont vos principes au sujet des parapluies?
10. Est-ce que c'est un crime d' «emprunter» un parapluie sans demander la permission?

EXERCICES

1. Continuez le dialogue entre Georges Bertin et Jean Marchal. Choisissez l'une ou l'autre des conclusions suivantes: (a) l'homme corpulent est très confus, rend le parapluie et fait ses excuses; (b) l'homme corpulent devient insolent et essaie d'emporter le parapluie quand même. L'homme timide se fâche et se révèle (*reveals himself to be*) champion de boxe.

2. Dramatisez ce conte. (Ajoutez au dialogue entre Bertin et Marchal d'autres personnages: plusieurs clients qui jouent aux cartes ou qui lisent leurs journaux, un ou deux garçons, le propriétaire du café, un agent de police.)

3. Racontez l'histoire au passé et sans citations (*quotations*) directes.

3. Une explication logique

C'est aujourd'hui dimanche. Il est midi. Le petit Claude sort de l'église avec sa mère. Contrairement à son habitude, il ne parle pas. Il a l'air de penser à quelque chose qui le rend perplexe.

—Maman, demande-t-il soudain à sa mère, est-ce que les 5 anges portent des culottes comme moi?

—Qu'est-ce que tu dis? s'écrie la maman étonnée. Pourquoi me poses-tu cette question?

C'est parce que j'ai vu un monsieur qui mettait deux boutons dans le plateau, quand on a fait la quête, explique alors le petit 10 Claude, avec la simple logique d'un enfant de huit ans.

explication *f*. explanation. —**dimanche** *m*. Sunday. —**midi** *m*. noon. —**église** *f*. church. —**habitude** *f*. custom. —**soudain** suddenly. —**ange** *m*. angel. —**culotte** *f*. breeches, trousers. —**s'écrier** to cry out, exclaim. —**poser** (**une question**) to ask (a question). —**bouton** *m*. button. —**plateau** *m*. collection plate. —**faire la quête** to take up the collection.

QUESTIONNAIRE

1. Quel jour et à quelle heure cette scène a-t-elle lieu?
2. Où se passe-t-elle?
3. Quels en sont les deux personnages?
4. Est-ce que le petit Claude a l'habitude de garder le silence?
5. Quel air a-t-il?
6. De quelle façon parle-t-il à sa mère?
7. Qui porterait des culottes selon ce que pense le petit Claude?
8. Est-ce que la maman de Claude est indifférente à la question de son fils?
9. Qu'est-ce que le petit Claude a vu?
10. Quel âge avait-il, le petit Claude?
11. Qualifiez sa logique.

DISCUSSION

1. Si le petit Claude sort de l'église à midi, à quelle heure y est-il probablement arrivé?
2. Que faisait-il d'habitude, en sortant de l'église?
3. Les enfants de huit ans parlent-ils beaucoup?
4. A-t-on tendance à avoir l'air perplexe quand on pense longtemps?
5. Pourquoi les petits enfants remarquent-ils beaucoup de choses quand ils sont à l'église?
6. Cette histoire vous paraît-elle vraie?
7. Est-ce que les petits enfants raisonnent d'habitude de la même façon que Claude?
8. Dans l'art religieux, est-ce qu'on représente les anges avec des culottes?
9. Pourquoi cette anecdote est-elle amusante: (1) Parce qu'elle révèle (*reveals*) la psychologie des enfants? ou (2) parce qu'elle se moque des (*makes fun of*) faiblesses (*weaknesses*) et de l'irrévérence des hommes?

EXERCICES

1. Faites des phrases en employant les expressions suivantes: (a) contrairement à son (mon, notre, etc.) habitude . . . , (b) avoir l'air de . . . , (c) poser une question . . . , (d) c'est parce que . . . , (e) faire la quête . . .
2. Cette histoire est racontée au présent historique. Racontez-la au passé, en employant l'imparfait ou le passé composé, selon le cas (sauf dans les citations directes, où il faut garder le présent).
3. Changez ainsi la fin de l'histoire: Claude voit un monsieur qui met dans le plateau (1) un jeton (*token*) d'autobus, (2) un petit ticket

(*coupon*) de rationnement. Imaginez ce que seraient dans les deux cas sa réaction, son raisonnement et la question qu'il poserait à sa mère.

4. Continuez l'histoire de cette façon: La maman de Claude profite de l'occasion pour lui donner une petite leçon de morale; elle lui explique que le monsieur qui a mis les deux boutons dans le plateau est très méchant (*bad*), etc., etc.

4. *La vérité sort de la bouche des enfants*

Nous sommes dans une école primaire de jeunes filles. La maîtresse, une vieille personne gentille mais malheureusement laide, explique à ses élèves l'emploi du présent de l'indicatif et du passé composé. Elle écrit quelques exemples au tableau noir. Elle pose maintenant une question à une élève:

—Quand je dis: «J'ai été malade la semaine dernière» quel temps est-ce, Suzanne?

—C'est le passé composé, mademoiselle! répond l'élève sans hésitation.

—Et si je dis: «Je suis très belle» qu'est-ce que c'est, Louise? interroge la maîtresse.

—C'est un gros mensonge, mademoiselle! s'écrie Louise avec la franchise brutale d'une enfant de huit ans.

bouche *f.* mouth. —**école** *f.* school. —**primaire** primary. —**maîtresse** *f.* teacher. —**gentil** nice. —**malheureusement** unfortunately.

—**laid** ugly. —**élève** *m.f.* pupil. —**malade** sick. —**temps** *m.* tense. —
mensonge *m.* lie. —**franchise** *f.* frankness.

QUESTIONNAIRE

1. Cette école était-elle pour les garçons ou pour les filles?
2. Quelle était la qualité de la maîtresse?
3. Quel défaut avait-elle?
4. Qu'est-ce qu'elle explique aux élèves?
5. Où écrit-elle les exemples?
6. Qui interroge-t-elle d'abord?
7. Est-ce que Suzanne répond correctement?
8. Quel était le temps du verbe de son second exemple?
9. La réponse de Louise était-elle exacte?
10. Est-ce que Louise a fait preuve de tact?
11. Est-ce que la maîtresse a été prudente?

DISCUSSION

1. Le titre de ce conte est un proverbe. Est-ce que vous connaissez d'autres proverbes français? Citez-en.
2. Est-ce que vous connaissez quelques proverbes anglais? Pouvez-vous les traduire littéralement en français? Essayez d'en traduire quelques-uns et demandez au professeur de trouver des proverbes français qui correspondent aux proverbes anglais.
3. Le titre du conte exprime-t-il une vérité? Pourquoi les enfants seraient-ils plus francs que les adultes?
4. Où Louise aurait-elle pu prendre l'habitude d'accuser les autres personnes de mensonge?
5. Que pensez-vous de cet autre proverbe français: «La vérité n'est pas toujours bonne à dire»?

EXERCICES

1. Essayez de faire la leçon de grammaire comme la maîtresse d'école l'aurait faite. Expliquez dans une phrase l'emploi de chacun des temps suivants: le présent, le passé composé, l'imparfait, le futur, le conditionnel, et donnez un exemple de chacun.
2. Rappelez-vous (ou imaginez) un cas dans votre vie où vous avez manqué de tact en disant la vérité. Écrivez-le en bon français pour le lire en classe à haute voix.
3. Continuez le conte en décrivant (*describing*) la réponse de la maîtresse, les réactions des autres enfants, etc.

5. La définition

Il est sept heures du soir. Pendant que sa femme prépare le dîner dans la cuisine, M. Duval lit le journal dans le salon, en fumant sa pipe. Georges, l'unique enfant, est en train d'étudier ses leçons pour le jour suivant. Tout à coup, il lève la tête:
5 il a rencontré dans son livre un mot qu'il ne connaît pas.

—Papa, demande-t-il, que veut dire le mot «monologue»?

—Un monologue? répond le père après un instant de réflexion, c'est quand une seule personne parle, et que cette personne parle assez longtemps. Ainsi, par exemple, lorsque ta mère et
10 moi avons une conversation, c'est presque toujours un monologue, parce qu'elle me donne rarement l'occasion de parler . . .

pendant que while. —**cuisine** *f.* kitchen. —**journal** *m.* newspaper. —**salon** *m.* living room. —**fumer** to smoke. —**unique** sole, only. —**étudier** to study. —**livre** *m.* book.

QUESTIONNAIRE

1. A quelle heure cette scène se passe-t-elle?
2. Que fait M. Duval?
3. Que fait sa femme?
4. Combien d'enfants ont-ils, les Duval?
5. Pour quel jour Georges prépare-t-il ses leçons?
6. Que fait-il tout à coup?
7. Qu'est-ce qu'il a rencontré dans son livre?
8. A qui demande-t-il une définition?
9. Est-ce que le père répond tout de suite?
10. Combien de personnes faut-il pour un monologue?
11. Qu'est-ce qui se passe quand M. et Mme Duval ont une conversation?

DISCUSSION

1. Est-ce que vous avez l'habitude de dîner à la même heure que les Duval?

2. Qu'est-ce que l'heure mentionnée suggère quant aux habitudes des Français?

3. Écoutez-vous à la radio des programmes où il y a un petit mari timide qui est maltraité par sa grosse femme brutale?

4. Pourquoi trouve-t-on cela comique? Est-ce parce que ce sont en réalité les maris américains qui dominent leurs femmes, ou est-ce seulement parce que chaque mari américain croit qu'il est le maître et trouve comique un mari timide qui n'est pas maître chez lui?

5. En France on dirait que c'est Mme Duval qui «porte la culotte.» Emploierait-on une telle expression en anglais?

EXERCICES

1. Écrivez une «conversation» entre M. et Mme Duval: M. Duval demande timidement à sa femme si le dîner est prêt. Mme Duval commence son monologue. Voici les sujets qu'elle traite: son mari est rentré tard—qu'est-ce qu'il a fait en sortant du bureau?—une femme doit travailler tout le temps dans une cuisine trop chaude, etc., etc.

2. Changez l'histoire de cette façon: Georges va dans la cuisine demander à sa mère ce que le mot *monologue* veut dire. Écrivez la réponse de la mère.

3. Faites des phrases en employant les expressions suivantes: (a) être en train de . . . , (b) tout à coup . . . , (c) vouloir dire . . . , (d) par exemple . . . , (e) donner l'occasion de . . .

6. *Les deux promesses*

Malgré sa promesse, Marcel, un garçon éveillé de douze ans, n'a pas été sage. Il n'a pas obéi à sa mère, et n'a pas encore fait ses devoirs. C'est pourquoi celle-ci se plaint à son mari dès qu'il revient le soir à la maison.

5 —Marcel! appelle le père en colère. Viens ici! Tu m'avais promis de ne pas être méchant et de faire tes devoirs avant le dîner, n'est-ce pas?

—Oui, papa, répond Marcel qui reste prudemment derrière la table.

10 —Et moi, je t'ai promis une bonne fessée si tu n'étais pas sage, n'est-ce pas?

—Oui, c'est vrai, papa, mais comme je n'ai pas tenu ma promesse, toi, tu n'as pas besoin de tenir la tienne non plus!

promesse *f.* promise. —**garçon** *m.* boy. —**éveillé** wide-awake. — **douze** twelve. —**sage** good, well-behaved. —**mari** *m.* husband. — **colère** *f.* anger. —**promettre** to promise. —**méchant** bad. —**prudemment** prudently, cautiously. —**fessée** *f.* spanking.

14

QUESTIONNAIRE

1. Quelle promesse Marcel avait-il faite?
2. L'avait-il tenue?
3. A qui la mère de Marcel se plaint-elle?
4. Quand est-ce que le père de Marcel revient à la maison?
5. Est-ce qu'il est content quand il apprend ce que Marcel a fait?
6. Où est-ce que Marcel reste?
7. Quelle promesse le père avait-il faite?
8. Est-ce que Marcel se rappelait ce que son père avait promis?
9. Selon Marcel, qu'est-ce que son père n'avait pas besoin de faire?

DISCUSSION

1. Ce conte prouve-t-il que Marcel était vraiment éveillé?
2. Quels sont les deux sens du mot *sage?* Lequel correspond au sens du mot anglais?
3. Si vous trouvez ce conte amusant, essayez d'expliquer pourquoi. (*Suggestions*: l'intelligence (Marcel) contre la force (son père)? deux espèces de promesses, la promesse du père n'étant pas une vraie promesse? histoire très ordinaire, même un peu plate (*dull*), terminée par une surprise?)

EXERCICES

1. Dramatisez ce conte très simplement. *Suggestions*: Personnages—le père, la mère, Marcel, Pierre (un petit ami). 3 scènes—scène première, la promesse de Marcel, suivie de celle de son père; scène 2, Marcel joue avec Pierre et désobéit à sa mère; scène 3, le père revient.
2. Écrivez un autre petit conte dans lequel Jeanne, la petite sœur (*sister*) de Marcel, est sage et est récompensée par son père.
3. Faites des phrases en employant les expressions suivantes: (a) se plaindre . . . , (b) n'est-ce pas? . . . , (c) c'est vrai . . . , (d) avoir besoin de . . . , (e) non plus . . .

7. L'âge du petit Charles

Plusieurs enfants jouent dans la rue. Une vieille dame, qui fait une promenade, les regarde avec mélancolie et regret. Où est-il, le bon vieux temps de son enfance? Elle s'arrête. Elle leur offre des bonbons et leur parle.

5 —Comment t'appelles-tu? demande-t-elle à l'un d'eux.

—Je m'appelle François, madame.

—Quel âge as-tu?

—J'ai neuf ans, madame.

—Et toi, demande la vieille dame à un autre enfant, comment 10 t'appelles-tu?

—Je m'appelle Charles, madame, répond-il.

—Et quel âge as-tu?

—Je ne peux pas vous le dire, madame.

—Tu ne peux pas me le dire? Pourquoi pas?

15 —Parce que, la semaine dernière, j'ai dit au contrôleur du tramway que j'avais sept ans. Il a donné alors un billet pour moi à maman, et elle m'a donné une gifle un peu plus tard, quand nous sommes descendus!

faire une promenade to take a walk. —**enfance** *f.* childhood —
contrôleur *m.* conductor. —**tramway** *m.* streetcar. —**billet** *m.* ticket.
—**gifle** *f.* slap. —**descendre** to get off.

QUESTIONNAIRE

1. Qui joue dans la rue?
2. Que fait la vieille dame?
3. De quelle façon regarde-t-elle les enfants?
4. Que se demande-t-elle?
5. Que donne-t-elle aux enfants?
6. Comment s'appelle le premier enfant à qui elle parle?
7. Quel âge a-t-il?
8. Comment s'appelle le second enfant?
9. Qu'est-ce que Charles répond quand la vieille dame lui demande son âge?
10. Qu'est-ce que Charles a dit au contrôleur du tramway?
11. Qu'est-ce que le contrôleur a donné à la maman de Charles?
12. Quand ils sont descendus du tramway, qu'est-ce que sa maman a donné à Charles?

DISCUSSION

1. Est-ce qu'il y a des tramways dans votre ville, ou des autobus?
2. Quand vous montez dans un tramway, comment payez-vous votre place? Est-ce que vous prenez (*buy*) un billet? ou est-ce que vous mettez une pièce de monnaie ou un jeton (*token*) dans la boîte (*box*) du contrôleur?
3. Jusqu'à quel âge les enfants peuvent-ils monter dans les tramways sans payer?
4. A quel âge les enfants paient-ils place entière?
5. Quand Charles a dit à la vieille dame qu'il ne pouvait pas dire son âge, quelle était son attitude? ironique ou naïve?
6. Que pensez-vous du caractère de la maman de Charles? Est-ce que tromper (*to deceive*) les employés des tramways ou des autobus sur l'âge de vos enfants est vraiment voler (*stealing*)?
7. Les petits garçons français sont-ils plus polis (*polite*) que les petits garçons américains? Que dirait un petit Français qu'un petit Américain ne penserait jamais à dire?

EXERCICES

1. Racontez cette histoire à la première personne comme si elle vous était arrivée.

2. Continuez la conversation entre la vieille dame et Charles. *Suggestions*: La vieille dame critique sévèrement la mère de Charles. Charles défend sa mère, etc.

3. Complétez les phrases suivantes: (a) François_____neuf ans. (b) Quand on arrive à destination, on_____du tramway. (c) Comment_____appelez-vous? (d) Je_____appelle Charles. (e) La vieille dame_____arrête.

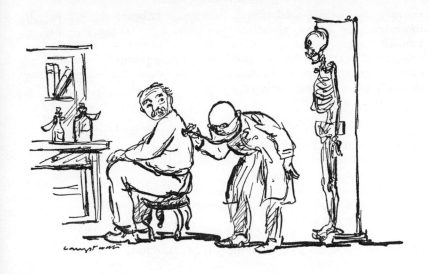

8. Le remède

M. Renaud ne se sent pas bien depuis quelques semaines. Il est nerveux, n'a pas d'appétit et dort mal. Il se décide enfin à aller chez le médecin.

—Docteur, ça ne va pas, lui dit-il, à peine entré dans le cabinet du médecin. Je suis devenu irritable et je ne mange plus 5 de bon appétit. C'est probablement parce que je ne dors plus bien. Le moindre bruit me réveille. Ainsi, toutes les nuits, le chien du voisin me tient éveillé rien qu'en marchant autour de la maison.

—Rassurez-vous, monsieur, ce n'est rien, déclare le médecin 10 après un examen rapide. Tenez, voici une poudre soporifique qui va arranger cela.

—Merci bien, docteur. Dois-je la prendre avant ou après les repas?

—Pas du tout! interrompt le médecin avec un geste énergique. 15 Cette poudre n'est pas pour vous! Ce soir, vous la donnerez au chien dans un peu d'eau.

19

dormir to sleep. —**médecin** *m.* doctor. —**cabinet** *m.* office. —**le
moindre** the least. —**réveiller** to wake up. —**chien** *m.* dog. —
éveillé awake. —**rien qu'en** merely by. —**rassurer** to reassure. —
examen *m.* examination. —**tenez** see here. —**poudre** *f.* powder. —
merci bien thank you very much. —**repas** *m.* meal. —**interrompre**
to interrupt. —**geste** *m.* gesture.

QUESTIONNAIRE

1. Comment M. Renaud se sent-il?
2. Depuis combien de temps se sent-il ainsi?
3. Quels sont ses symptômes?
4. Quelle est sa décision?
5. A quel moment M. Renaud parle-t-il au médecin?
6. Qu'est-ce qui le réveille?
7. Que fait le chien du voisin?
8. Comment le médecin examine-t-il M. Renaud?
9. Quelle est l'opinion du médecin?
10. Qu'est-ce que la poudre soporifique devait faire, selon le docteur?
11. Est-ce qu'il fallait prendre la poudre avant ou après les repas?
12. Pour qui était la poudre? Comment fallait-il la donner?

DISCUSSION

1. M. Renaud était-il un vrai malade ou un hypocondriaque?
2. Pensez-vous que les symptômes de M. Renaud avaient des causes
physiologiques ou psychologiques?
3. Si vous étiez psychiâtre ou psychanalyste quelle sorte de remèdes
donneriez-vous à M. Renaud?
4. Qu'est-ce qui fait l'humour de ce conte? Vous êtes-vous mis à la
place de M. Renaud et la réponse du médecin vous rassure-t-elle?
Est-ce la surprise de la dernière phrase que vous trouvez comique?

EXERCICES

1. Faites des phrases en employant les expressions suivantes: (a)
ça va . . . , (b) à peine . . . , (c) rien qu'en . . . , (d) tenez . . . ,
(e) merci bien . . .
2. Écrivez, dans un style dramatique, une petite scène entre M.
Renaud et le voisin.
3. Le médecin fait un exposé à M. Renaud pour lui expliquer les
théories psychosomatiques, ou comment les idées, les sentiments, etc.,
affectent le corps. (Comique, même ridicule, si vous voulez.)

9. Le petit Jacques a bon cœur

En rentrant dans son appartement, après quelques courses dans le quartier, Mme Dubois s'aperçoit qu'il manque deux poires dans la coupe de fruits qu'elle a préparée pour le dessert. Pendant son absence, Jacques, son fils de dix ans, est resté seul dans l'appartement. Évidemment, c'est lui le coupable. 5 Elle l'appelle.

—Jacques, est-ce que tu as pris les deux poires qui manquent dans la coupe? lui demande-t-elle, en le regardant dans les yeux.

—Oui, maman! avoue Jacques spontanément. Je les ai don- 10 nées à un pauvre petit garçon qui avait faim et soif.

—A la bonne heure! s'écrie Mme Dubois avec une vive satisfaction. C'est très gentil, ce que tu as fait! Ça prouve que tu as bon cœur. Je suis très contente de toi. A propos, connais-tu ce petit garçon? 15

—Pour sûr que oui, maman! C'est moi le petit garçon! répond notre petit Jacques qui a bon cœur.

avoir bon cœur to be kindhearted. —**course** *f.* errand. —**manquer** to be lacking. —**poire** *f.* pear. —**plat** *m.* dish. —**évidemment** evidently. —**coupable** *m.* culprit, guilty one. —**avouer** to admit. —**avoir faim et soif** to be hungry and thirsty. —**à la bonne heure** fine! —**pour sûr que oui**! sure I do! (the **que** is pleonastic.)

QUESTIONNAIRE

1. Où Mme Dubois rentre-t-elle?
2. Qu'est-ce qu'elle a fait dans le quartier?
3. Quel dessert Mme Dubois avait-elle préparé?
4. Qu'est-ce qui manquait?
5. Quel âge a Jacques?
6. Où est-il resté pendant l'absence de sa mère?
7. Qu'est-ce qui paraît évident à Mme Dubois?
8. Comment Mme Dubois regarde-t-elle Jacques?
9. Qu'est-ce que Jacques a fait des deux poires?
10. Comment Mme Dubois reçoit-elle la réponse de son fils?
11. D'après ce qu'elle dit, qu'est-ce que l'action de Jacques prouvait?
12. Jacques connaissait-il bien le petit garçon?

DISCUSSION

1. En quoi un dessert français diffère-t-il d'un dessert américain? (Cherchez dans un dictionnaire français ou dans une encyclopédie.)
2. Faut-il manger des fruits tous les jours pour être en bonne santé (*health*)?
3. Quand mangez-vous des fruits: au petit déjeuner, au déjeuner, au dîner, au dessert ou entre les repas (*meals*)?
4. Le petit Jacques était-il naïf ou rusé (*clever*)?
5. Pourquoi trouve-t-on ce conte amusant? Est-ce parce qu'on est quelquefois un peu fatigué de la morale conventionnelle?
6. Ne trouvez-vous pas que Jacques a fait une application amusante de la maxime: «Il vaut mieux donner que recevoir»?
7. Les derniers mots du conte sont-ils ironiques?

EXERCICES

1. Changez la fin du conte de la façon suivante: Jacques raconte qu'il a donné les poires à un pauvre petit enfant qui mourait de faim (*hunger*). Il décrit (*describes*) en détail cet enfant imaginaire. Sa mère lui pose des questions et s'aperçoit que Jacques n'a pas dit la vérité.

2. Racontez cette histoire à la première personne du singulier sans citations directes. (Vous êtes Mme Dubois, et vous la racontez à une voisine.)

3. Trouvez dans la colonne II les mots ou les expressions qui sont le contraire de ceux de la colonne I :

I	II
rentrer	présence
avoir bon cœur	se taire
absence	mécontent
petit	sortir
répondre	avant
content	grand
après	ne pas avoir de cœur
parler	demander

3. Imaginez que M. Marsot, la nuit suivante, ivre mais pas encore ivre-mort, raconte dans un bar sa rencontre avec l'agent de police. Écrivez ce qu'il dit.

4. Essayez de composer un proverbe basé sur la métaphore employée à la fin de ce conte, un proverbe qui résumerait les tribulations de M. Marsot.

11. Les cheveux gris

Mme Jacquot a plus de cinquante ans. Nous ne savons pas son âge exact. Sait-on jamais l'âge exact d'une femme qui a plus de trente ans? Mme Jacquot était très belle dans sa jeunesse. Malgré son âge, elle veut paraître encore jeune et charmante. Pour y parvenir, elle porte des robes, des manteaux 5 et des chapeaux de jeune femme. Elle se met aussi beaucoup de poudre sur les joues et de rouge sur les lèvres.

Hélas! peu à peu, les cheveux gris deviennent plus nombreux. A présent, Mme Jacquot ne peut plus les dissimuler. Ce matin, elle a peur de se regarder dans son miroir pour mettre son 10 chapeau. Ah! ces maudits cheveux gris! Tout à coup, elle a une idée lumineuse. Vite, elle sort de son appartement. Elle court chez le meilleur coiffeur de la ville.

—Monsieur, lui demande-t-elle, le cœur plein d'espoir, qu'avez-vous pour les cheveux gris? 15

—Beaucoup de respect, madame, lui répond le coiffeur, beaucoup de respect!

cheveux *m. pl.* hair. —**gris** gray. —**cinquante** fifty. —**trente** thirty. —**jeunesse** *f.* youth. —**parvenir** to succeed. —**robe** *f.* dress. —**manteau** *m.* coat (woman's). —**chapeau** *m.* hat. —**joue** *f.* cheek. —**lèvre** *f.* lip. —**nombreux** numerous. —**dissimuler** to conceal. —**coiffeur** *m.* hairdresser, barber. —**espoir** *m.* hope.

QUESTIONNAIRE

1. Quel est l'âge exact de Mme Jacquot?
2. Que dit-on de l'âge d'une femme qui a plus de trente ans?
3. Comment Mme Jacquot était-elle dans sa jeunesse?
4. Comment veut-elle paraître, malgré son âge?
5. Que fait-elle pour y parvenir?
6. De quelle couleur deviennent les cheveux de Mme Jacquot?
7. De quoi a-t-elle peur ce matin?
8. Qu'est-ce qui lui vient à l'esprit tout à coup?
9. Où court-elle?
10. Que demande Mme Jacquot au coiffeur?
11. Est-ce que le coiffeur lui indique un produit pour les cheveux gris?
12. Quelle réponse lui fait-il?

DISCUSSION

1. Trouvez-vous sympathiques ou ridicules les femmes qui s'habillent (*dress*) plus jeune que leur âge?
2. Une femme de plus de cinquante ans trouverait-elle ce conte amusant?
3. Ce conte amuse-t-il les étudiants et les étudiantes de vingt ans? Pourquoi? Parce qu'ils ne peuvent pas comprendre la vieillesse?
4. Laquelle de ces deux maximes françaises s'applique le mieux à ce conte: «Si jeunesse savait, si vieillesse pouvait» ou «Les vieux fous sont plus fous que les jeunes»?
5. Remarquez qu'en France un *coiffeur* coupe ou arrange les cheveux (le mot *barbier*—d'où vient «barber» en anglais—ne s'emploie plus); il vend aussi des produits pour teindre (*dye*) les cheveux. D'après ce que vous savez des habitudes des coiffeurs, la fin de ce conte est-elle vraisemblable (*true to life*)? Normalement, à quelle réponse aurait-on pu s'attendre?

EXERCICES

1. Trouvez dans la colonne II les mots ou les expressions qui sont le contraire de ceux de la colonne I:

I	II
plus	laid
beau	moins
jeune	déplaisant
charmant	lentement
beaucoup	soir
nombreux	terne
matin	autrefois
à présent	vieux
lumineux	rare
vite	peu

2. Dramatisez ce conte. *Suggestions*: Sc. 1, les nièces (22 et 25 ans) de Mme Jacquot discutent les robes de leur tante; Sc. 2, monologue de Mme Jacquot devant le miroir; Sc. 3, dialogue entre Mme Jacquot et le coiffeur.

3. Écrivez un paragraphe sur ce sujet: Madame s'habille et se prépare à sortir. Employez les mots suivants: beau, chapeau, charmant, cheveux, jeune, joue, lèvre, miroir, poudre, robe, rouge.

12. Un professeur dévot

Nous sommes le vingt-trois juillet, presque à la fin de l'année scolaire. Louis, un garçon de treize ans, vient de se présenter à un examen oral. S'il est reçu, il sera admis à l'école supérieure. Cependant, comme il est loin de compter parmi les
5 meilleurs élèves de sa classe, son père a des inquiétudes à son sujet.

—Eh bien, Louis, crois-tu avoir passé ton examen avec succès? demande le père soucieux à son fils, dès que celui-ci revient de l'école.

10 —Oui, papa, répond Louis avec confiance. J'ai eu beaucoup de chance. Je suis tombé sur un professeur tout à fait gentil et qui doit être très dévot.

—Dévot? Comment peux-tu donc savoir ça? s'écrie le père étonné.

15 —C'est bien simple, papa, explique notre élève avec assurance, presque chaque fois que je répondais à une question, le professeur levait les bras au ciel en murmurant: «Mon Dieu! Mon Dieu!»

dévot pious. —**juillet** July. —**scolaire** *adj.* school. —**est reçu** passes.
—**école supérieure** high school. —**inquiétude** *f.* anxiety. —**passer
un examen** to take an examination. —**soucieux** worried. —**confiance**
f. confidence. —**chance** *f.* luck. —**Mon Dieu**! My goodness! (a very
common exclamation: should not be translated "my God").

QUESTIONNAIRE

1. A quelle époque ce conte se passe-t-il?
2. A quoi Louis vient-il de se présenter?
3. Que pourra-t-il faire s'il est reçu?
4. Quelle sorte d'élève est-il?
5. Le père est-il rassuré à l'égard de son fils?
6. Que demande-t-il à son fils dès que celui-ci revient de l'école?
7. Louis croit-il qu'il n'a pas eu de chance?
8. Sur quelle sorte de professeur croit-il être tombé?
9. Quel geste le professeur faisait-il chaque fois que Louis répondait
   à une question?
10. Que murmurait-il?

DISCUSSION

1. L'année scolaire finit-elle en France plus tôt ou plus tard qu'aux
États-Unis?

2. Pour être admis à l'école supérieure, faut-il passer un examen
oral aux États-Unis?

3. Quel examen préférez-vous: oral ou écrit? Discutez les avantages
et les désavantages de chacun.

4. Ce conte est-il vraisemblable (*true to life*)? Un garçon de treize
ans pourrait-il être aussi naïf que Louis? (Remarquez que l'expression
Mon Dieu est très employée en France pour exprimer l'étonnement,
la déception, etc.)

5. Malgré son invraisemblance, ce conte est amusant, n'est-ce pas?
La raison serait-elle qu'il vous donne un sentiment (a) de sympathie
ou (b) de supériorité?

EXERCICES

1. Donnez en français une définition simple des expressions ou des
mots suivants: (Exemple: *examen oral* «veut dire un examen parlé, qui
n'est pas écrit.») (a) année scolaire . . . , (b) être reçu à un examen
. . . , (c) avoir beaucoup de chance . . . , (d) dévot . . . , (e)
élève . . .

2. Écrivez un petit dialogue qui donnera une partie de l'examen oral de Louis. (*Suggestion*: Le Professeur—Donnez les frontières des États-Unis. Louis—le Mexique est au nord des États-Unis, etc.)

3. Le professeur doit faire un rapport sur l'examen de Louis. Écrivez ce rapport.

4. Faites des phrases en employant les expressions suivantes: (a) à la fin de . . . , (b) venir de . . . , (c) être loin de . . . , (d) tout à fait . . . , (e) il doit être . . .

13. Le juge et l'ivrogne

Le juge de paix d'une petite ville de Normandie n'a plus
qu'une seule affaire à juger, avant de pouvoir rentrer
tranquillement chez lui. Il regarde l'inculpé debout devant lui,
et, le reconnaissant, s'écrie tout à coup:

—Comment, c'est encore vous, Durand? C'est la deuxième *5*
fois, cette année, que vous êtes accusé d'ivresse sur la voie publique! Voici plus de douze ans que vous comparaissez devant
moi, dans ce même tribunal, invariablement deux ou trois fois
par an, et chaque fois pour la même raison! Qu'est-ce que vous
allez inventer comme excuse, pour vous trouver encore devant *10*
moi, aujourd'hui?

—Vraiment, monsieur le juge, répond l'ivrogne en se grattant
la tête, réfléchissez un instant et soyez juste. Est-ce ma faute, si
vous n'avez pas été promu dans une plus grande ville? Est-ce
ma faute, si vous êtes toujours resté ici pendant tout ce temps-là? *15*
Non, n'est-ce pas?

ivrogne *m.* drunkard. —**juge de paix** *m.* justice of the peace. —**inculpé** *m.* accused man. —**debout** standing. —**voie publique** *f.* public

streets. —**douze** twelve. —**comparaître** to appear. —**gratter** to scratch. —**réfléchir** to reflect. —**faute** *f*. fault. —**promu** (**promouvoir**), promoted.

QUESTIONNAIRE

1. Où se passe la scène?
2. Combien d'affaires le juge de paix a-t-il encore à juger?
3. Connaît-il l'inculpé?
4. De quoi Durand est-il accusé?
5. Combien de fois a-t-il été accusé cette année?
6. Depuis combien d'années comparaît-il devant ce juge?
7. Durand explique-t-il pourquoi il était ivre?
8. Que fait-il en répondant au juge?
9. Le juge a-t-il été promu dans une grande ville?
10. Où le juge est-il resté pendant tout ce temps-là?

DISCUSSION

1. Dans quelle partie de la France se trouve la Normandie?
2. Quelles sont les villes principales de la Normandie?
3. Quelles villes ont souffert (*suffered*) le plus pendant la libération de 1944?
4. Ce conte montre-t-il que les Normands ont beaucoup de bon sens?
5. La réponse de l'ivrogne est-elle logique, c'est-à-dire, trouvez-vous qu'il explique vraiment pourquoi il se trouve encore devant le même juge?
6. Trouvez-vous que le juge avait raison d'être sévère pour l'ivrogne ou bien qu'il avait tort parce que le cas était sans importance?

EXERCICES

1. Trouvez la fin qui convient à chaque phrase:

(a) Le juge de paix
- a encore plusieurs affaires à juger.
- rentre chez lui sans voir Durand.
- n'a plus qu'une affaire à juger.

(b) C'est la seconde fois que Durand
- est condamné à payer une amende (*fine*).
- est accusé d'ivresse.
- est devenu ivre à l'insu de tout le monde.

(c) Durand répond au juge
- en se grattant la tête.
- en restant immobile.
- avec violence et insolence.

(d) Le juge de paix ⎰ vient de passer quelques années à Paris.
⎱ condamne Durand quatre fois par an.
⎱ n'a pas été promu dans une grande ville.

(e) Durand demande au juge ⎰ de l'aider à boire son vin.
⎱ d'être juste.
⎱ de lui pardonner.

2. Continuez le conte, en donnant la réponse du juge et son verdict.

3. Après avoir payé son amende, Durand, (tout en buvant un verre de calvados [*eau de vie normande*]), raconte à ses camarades comment il a parlé au juge. Écrivez ce dialogue. (Remarquez que Durand et ses amis emploient «tu» en se parlant.)

14. Le bifteck

Un étudiant entre dans un petit restaurant du Quartier Latin. Il s'assied et lit le menu qui est sur la table: bifteck, pommes de terre, salade, fromage et café.

—J'ai faim! Espérons que le bifteck sera tendre et assez gros!
5 pense le jeune homme.

Hélas! Le bifteck que le garçon lui apporte est minuscule et plutôt dur.

—C'est chaque fois la même chose: les biftecks sont toujours petits et minces, ici! Heureusement qu'il y a assez de pommes
10 de terre! se dit l'étudiant en commençant à manger avec résignation.

A la fin du déjeuner, le propriétaire s'approche de lui.

—J'ose croire que vous avez bien mangé, monsieur, demande-t-il avec sollicitude. Comment avez-vous trouvé le bifteck?
15 —Je l'ai trouvé en soulevant une pomme de terre! lui répond ironiquement l'étudiant.

36

étudiant *m.* student. —**pomme de terre** *f.* potato. —**fromage** *m.* cheese. —**café** *m.* coffee. —**avoir faim** to be hungry. —**hélas!** alas! —**garçon** *m.* waiter. —**minuscule** minute. —**plutôt** rather. —**dur** tough. —**mince** thin. —**déjeuner** *m.* lunch. —**sollicitude** *f.* solicitude, sympathetic interest. —**soulever** to raise.

QUESTIONNAIRE

1. Où se trouve le restaurant dans lequel entre l'étudiant?
2. Que lit-il?
3. Qu'y a-t-il sur le menu?
4. Quel est le désir du jeune homme?
5. Comment est le bifteck?
6. Les biftecks sont-ils souvent gros dans ce restaurant?
7. Y a-t-il assez de légumes (*vegetables*)?
8. A quel moment le propriétaire s'approche-t-il de l'étudiant?
9. Que demande-t-il à l'étudiant?
10. Quelle est la réponse de ce dernier?
11. De quelle façon répond-il au propriétaire?

DISCUSSION

1. Pourquoi appelle-t-on le quartier des étudiants à Paris le «Quartier Latin»?
2. Dans quelle partie de Paris se trouve le Quartier Latin?
3. Quelle est la rue la plus connue de ce quartier?
4. Connaissez-vous le nom qu'on donne souvent à l'Université de Paris?
5. Préférez-vous prendre vos repas (*meals*) au restaurant ou au réfectoire (*dining-hall*) de votre collège? Pourquoi?
6. Ce conte se termine sur un excellent jeu de mots. (Vous avez compris, n'est-ce pas, que le mot «trouvé» dans «comment avez-vous trouvé le bifteck» a deux sens?) Ce jeu de mots, peut-on le traduire littéralement ou librement en anglais?

EXERCICES

1. Écrivez un petit dialogue entre le garçon du restaurant et l'étudiant qui est en train de commander son déjeuner. Il commande non seulement les plats (*courses*) mentionnés dans le conte, mais aussi une soupe, un autre légume et un fruit. Il demande ensuite l'addition (*bill*) au garçon.
2. Faites un menu pour un petit restaurant français. Indiquez un repas «à prix fixe,» et des soupes, entrées, desserts, etc., «à la carte.»

(Remarquez que «table d'hôte» n'a pas le même sens en France qu'aux États-Unis. En France, une «table d'hôte» est une table où tout le monde s'assied et reçoit, sans choix, les mêmes plats en même temps.)

3. Trouvez dans la colonne II les mots qui sont le contraire de ceux de la colonne I:

I	II
tendre	s'éloigner
gros	énorme
minuscule	épais
mince	mal
croire	petit
commencer	douter
bien	finir
s'approcher	dur

15. Un bel exemple de tact

Un célèbre écrivain parisien, dont nous avons oublié le nom, termine une brillante conférence sur la femme française au milieu d'une ovation générale. Hommes et femmes se pressent autour de lui pour le féliciter. Plusieurs jeunes filles lui demandent son autographe et lui posent des questions. Très à l'aise *5* parmi cette foule d'admirateurs, le conférencier répond à toutes les questions, donne son autographe et remercie chacun avec une courtoisie et une amabilité charmantes. Une vieille dame à cheveux blancs parvient enfin à s'approcher de l'écrivain.

—Monsieur, je tiens à vous remercier de toutes les pensées *10* délicates que vous avez exprimées à l'égard des vieilles dames, lui dit-elle d'une voix pleine de gratitude. Vous voyez, j'ai osé venir vous parler parce que vous avez dit que vous aimiez bien leur compagnie.

—En effet, madame, j'aime beaucoup parler avec elles, mais *15* la compagnie des dames *de votre âge* me plaît infiniment aussi, répond alors l'écrivain avec un tact exquis.

39

écrivain *m.* writer. —**conférence** *f.* lecture. —**féliciter** to congratulate. —**à l'aise** at his ease. —**foule** *f.* crowd. —**conférencier** *m.* lecturer. —**remercier** to thank. —**à l'égard de** with regard to.

QUESTIONNAIRE

1. Pourquoi l'auteur ne donne-t-il pas le nom du célèbre écrivain?
2. Quel est le sujet de la conférence?
3. La conférence est-elle un succès?
4. Que fait tout le monde après la conférence?
5. Qui demande l'autographe de l'écrivain?
6. Le conférencier est-il embarrassé?
7. Qui s'approche enfin de lui?
8. De quoi la vieille dame tient-elle à remercier le conférencier?
9. De quoi la voix de la vieille dame est-elle pleine?
10. De qui le conférencier aime-t-il bien la compagnie?
11. Comment le conférencier répond-il à la dame?

DISCUSSION

1. Avez-vous remarqué une contradiction évidente mais amusante dans la première phrase?
2. L'auteur du conte a-t-il une attitude ironique à l'égard du célèbre écrivain?
3. Le tact délicat manifesté par cet écrivain serait-il plus caractéristique d'un Français que d'un Américain?
4. Quelles conditions historiques et sociales ont contribué au développement de ce tact en France plutôt qu'en Amérique? (Considérez l'effet en France de la monarchie et de la cour [*court*] comparé à celui de la démocratie en Amérique?
5. Trouvez-vous que ce tact exquis et délicat montre de l'hypocrisie et un manque de sincérité, ou bien de la bonté?
6. Préférez-vous la sincérité, même si elle est brutale?

EXERCICES

1. Trouvez dans la colonne II les mots ou les expressions qui sont le contraire de ceux de la colonne I:

I	II
célèbre	vide
parisien	mal à l'aise
oublier	commencer
terminer	rudesse, grossièreté
aimer	noir

I	II
plein	provincial
très à l'aise	haïr
courtoisie	méchanceté
amabilité	se rappeler
blanc	inconnu

2. Faites des phrases en employant les expressions suivantes: (a) au milieu de . . . , (b) autour de . . . , (c) tenir à . . . , (d) à l'égard de . . . , (e) en effet . . .

3. Préparez, pour la lire en classe, une petite causerie sur un des sujets suivants: (a) les femmes, (b) les hommes. Exprimez-vous avec un tact si exquis que vous plairez à tout le monde.

4. Changez ce conte de la façon suivante: le conférencier est brillant, mais cruellement ironique et satirique. Il répond à la vieille dame avec ironie et sans pitié pour son âge.

16. L'écrivain et le passant

On raconte beaucoup d'anecdotes sur le célèbre écrivain norvégien Ibsen. Voici une mésaventure dont il fut le premier à rire et qu'il aimait particulièrement à relater.

Un jour qu'il faisait une longue promenade en ville, il remar-
5 qua soudain une grande affiche officielle fraîchement collée sur un mur. Désireux de savoir de quoi il s'agissait, il s'en approcha. Comme il était très myope, il chercha ses lunettes dans la poche où il avait l'habitude de les mettre. Malheureusement, il les avait oubliées chez lui et ne put ainsi lire l'affiche. Par bonheur,
10 un passant s'avançait au même moment, et Ibsen l'arrêta.

—Pardon, monsieur, vous seriez bien aimable de me lire le texte de cette affiche, lui demanda-t-il poliment.

—Je regrette beaucoup, mon brave homme, mais moi non plus je ne sais pas lire! lui répondit alors l'inconnu.

---

passant *m.* passer-by. —**raconter** to tell. —**norvégien** Norwegian. —
affiche *f.* sign, poster. —**fraîchement** recently. —**coller** to glue, stick.

—**mur** *m.* wall. —**myope** near-sighted. —**lunettes** *f. pl.* spectacles. —
malheureusement unfortunately. —**brave** good, worthy (patronizing). —**inconnu** *m.* stranger.

QUESTIONNAIRE

1. Qui était Ibsen?
2. Que raconte-t-on sur lui?
3. Qui fut le premier à rire de cette mésaventure?
4. Où Ibsen faisait-il une longue promenade?
5. Que remarqua-t-il soudain?
6. Où l'affiche était-elle collée?
7. Qu'est-ce que l'écrivain était désireux de savoir?
8. De quoi s'approcha-t-il?
9. Pourquoi Ibsen avait-il besoin de lunettes?
10. Où chercha-t-il ses lunettes?
11. Où avait-il oublié ses lunettes?
12. Qui s'avançait au même moment?
13. Qu'est-ce que l'écrivain pria (*begged*) le passant de faire?
14. Qu'est-ce que le passant regrettait?

DISCUSSION

1. De quelle nationalité était Ibsen?
2. Quelle est la capitale de la Norvège?
3. Dans quel genre littéraire Ibsen s'est-il distingué? Pouvez-vous
nommer quelques-unes de ses œuvres? (Traduisez les titres en français.)
4. Ibsen a vécu à quelle époque?
5. Quelle était son importance?
6. Connaissez-vous d'autres écrivains norvégiens?
7. Cette mésaventure aurait-elle pu arriver à d'autres écrivains?
Le caractère et la personnalité d'Ibsen y jouent-ils un rôle?
8. Pourquoi a-t-on mentionné le nom de la personne à qui cette
mésaventure est arrivée? Le nom ajoute-t-il quelque chose à l'anecdote?

EXERCICES

1. Continuez l'histoire de la façon suivante: Une troisième personne
arrive et lit l'affiche à Ibsen et au passant. Ce qu'elle annonce ajoute
au comique de l'histoire.
2. Changez au passé composé tous les verbes de l'anecdote qui sont
au passé simple, en faisant attention à l'accord des participes.

3. Trouvez dans l'histoire les synonymes des mots et des expressions suivants: (a) heureusement . . . , (b) par malheur . . . , (c) en même temps . . . , (d) auriez-vous l'amabilité de . . . , (e) était accoutumé . . . , (f) tout à coup . . . , (g) se promenait . . . , (h) il était le contraire de presbyte . . . , (i) de quoi il était question . . . , (j) quelqu'un qui passait . . .

Deuxième Partie

17. Une raison suffisante

L'agent de police Poirel emmène au poste de police un homme assez bien vêtu. Il explique à son chef qu'il vient de rencontrer cet individu en état d'ivresse et en train de troubler l'ordre public. Assis sur un banc, l'accusé regarde fixement devant lui. Il a l'air d'être en colère, mais il ne dit pas un mot. *5*

—Cet homme ne me paraît pas ivre, remarque le commissaire. Quelles sont vos raisons pour déclarer qu'il est ivre? demande-t-il ensuite à l'agent.

—Je l'ai rencontré au coin d'une rue en train d'insulter grossièrement une marchande de journaux, répond l'agent. *10*

—Cela ne prouve pas qu'il était ivre, s'exclame le commissaire. Tout le monde peut avoir une discussion avec une marchande de journaux sans être, pour cette raison, en état d'ivresse!

—Pardon, monsieur le commissaire, interrompt l'agent, le fait est qu'il n'y avait dans cette rue ni marchande, ni kiosque *15* à journaux!

suffisant sufficient. —**vêtu** dressed. —**banc** *m.* bench. —**commissaire** *m.* chief (of police station). —**grossièrement** roughly, rudely. —**marchande de journaux** *f.* woman newspaper-seller. —**kiosque à journaux** *m.* sidewalk newspaper-stand (in Paris these are shaped like small kiosks).

QUESTIONNAIRE

1. Qui l'agent de police Poirel emmène-t-il au poste de police?
2. Selon Poirel, que faisait cet homme et dans quel état était-il?
3. Sur quoi l'accusé était-il assis?
4. Quel air avait-il?
5. Que pensait le commissaire après avoir regardé l'accusé?
6. Qu'a-t-il demandé à l'agent?
7. Où l'agent a-t-il rencontré l'accusé?
8. Selon l'agent, que faisait celui-ci?
9. Qui peut avoir une discussion avec une marchande de journaux?
10. Quel fait rendait étrange la discussion de l'accusé avec la marchande de journaux?

DISCUSSION

1. Y a-t-il dans les villes américaines de petits kiosques pour vendre les journaux en pleine rue et sur le trottoir (*sidewalk*)? Ont-ils la forme des kiosques français?

2. Savez-vous quelle autre sorte d'édifice a la forme d'un kiosque en France? (Cherchez dans un dictionnaire ou dans une encyclopédie.)

3. Ce conte est-il bien vraisemblable (*true to life*)? Le scepticisme du commissaire est-il naturel? Est-il nécessaire pour produire la surprise finale?

4. L'hallucination de l'ivrogne est-elle possible ou bien est-elle simplement imaginée dans un but comique?

EXERCICES

1. Dramatisez ce conte. (Deux scènes: Première, l'ivrogne insulte la marchande de journaux imaginaire; Poirel arrive et l'arrête; Deuxième, devant le commissaire.)

2. Le lendemain, l'ivrogne, revenu à lui-même, raconte au commissaire pourquoi il était en colère contre la marchande de journaux. Écrivez ce qu'il dit.

3. Préparez un petit dialogue entre vous-même et une marchande de journaux à Paris. (Vous choisissez un journal, vous en demandez le prix, vous donnez l'argent; la marchande rend la monnaie (*change*), etc.)

4. Expliquez en français les expressions suivantes: (Exemple: «il vient de rencontrer cet individu» veut dire «il a rencontré cette personne il y a quelques instants.») (a) un homme assez bien vêtu . . . , (b) en état d'ivresse . . . , (c) il a l'air d'être en colère . . . , (d) quelles sont vos raisons . . . , (e) le fait est que . . .

18. Le voyageur et les puces

Un acteur comique, allant en automobile à Bordeaux, s'arrête en route dans une petite ville du Périgord. Il va dans l'unique hôtel et demande une chambre avec salle de bain. On lui en montre une au deuxième étage. Elle lui plaît, car elle est propre, spacieuse, et donne sur un beau jardin. Les meubles 5 sont de bon goût, et le lit lui paraît excellent. Il se réjouit à la pensée qu'il dormira bien. Satisfait, il descend au bureau pour s'inscrire sur le registre des voyageurs. Mais à peine a-t-il remis son stylo dans sa poche qu'il s'arrête et s'écrie:

—Regardez! Il y a deux puces sur la page! c'est vraiment 10 dommage! Impossible de prendre cette chambre.

—Pourquoi, monsieur? lui demande le propriétaire embarrassé.

—Maintenant que les puces savent quelle chambre je vais occuper? Vous voulez rire? Donnez-moi une autre chambre, mais 15 cette fois je ne m'inscrirai pas sur votre livre. Vous avez ici des puces qui savent trop bien se renseigner!

49

puce *f.* flea. —**Périgord** *m.* Périgord, former province in South-
western France, now the department of la Dordogne. —**salle de bain**
bathroom. —**étage** *m.* story, floor. —**meubles** *m. pl.* furniture. —**se réjouir** to be delighted. —**bureau** *m.* office. —**s'inscrire** to enter one's
name. —**stylo** *m.* fountain pen. —**c'est dommage** it's a pity. —**vous
voulez rire?** you're joking? —**renseigner** to inform.

QUESTIONNAIRE

1. Où l'acteur comique va-t-il?
2. Où s'arrête-t-il en route?
3. Que demande-t-il à l'hôtel?
4. Où est la chambre qu'on lui montre?
5. Pourquoi la chambre lui plaît-elle?
6. Que pense-t-il?
7. Que fait-il après être descendu au bureau?
8. Que voit-il sur la page du registre?
9. Qu'est-ce qui embarrasse le propriétaire?
10. Qu'est-ce que les puces ont appris?
11. Quelle résolution l'acteur a-t-il prise en demandant une autre
    chambre?
12. Que pensait-il de l'intelligence de ces puces?

DISCUSSION

1. Dans quelle partie de la France se trouve le Périgord? Quelle est
la capitale du Périgord?

2. Cherchez sur la carte la route qu'il faut prendre pour aller de
Paris à Bordeaux, en passant par le Périgord. Est-ce le chemin le plus
direct?

3. A quoi correspond le «deuxième étage» en Amérique? En Angleterre, suit-on la méthode américaine ou la méthode française de nommer les étages?

4. Le personnage principal de ce conte est un acteur comique.
Trouvez-vous qu'il y a un rapport direct entre la profession du personnage et le développement du conte? Les remarques de l'acteur à
propos des puces sont-elles des plaisanteries ou montrent-elles de la
naïveté?

5. Croyez-vous à la tradition cinématographique selon laquelle les
acteurs comiques prennent la vie très au sérieux et sont de nature
mélancolique? Ce conte-ci est-il en accord avec cette tradition?

EXERCICES

1. Trouvez la fin qui convient à chaque phrase:

(a) L'acteur demande
{
une chambre avec salle de bain.
à manger tout de suite.
une bouteille de bière.

(b) La chambre lui plaît, car elle
{
est au troisième étage.
est propre, spacieuse.
ne coûte pas cher.

(c) Il descend au bureau pour
{
s'inscrire sur le registre.
demander des renseignements sur la ville.
payer sa chambre.

(d) Il ne veut pas prendre la chambre, parce qu'
{
il y a des puces.
il trouve le lit dur.
il croit que les puces savent qu'il l'occupera.

(e) Les puces dans cet hôtel, dit-il,
{
ne savent pas lire.
sont trop bien renseignées.
ne sont pas méchantes.

2. Trouvez dans la colonne II les mots ou les expressions qui sont le contraire de ceux de la colonne I:

I	II
comique	enlever
plaît	sale
propre	ignorer
spacieux	déplaît
de bon goût	tragique
descendre	pleurer
remettre	de mauvais goût
c'est dommage	exigu
savoir	c'est très bien
rire	monter

3. Écrivez un petit drame sur ce sujet: Les deux puces font un rapport à l'Assemblée Générale des Puces sur l'arrivée de l'acteur à l'hôtel.

4. Vous entrez dans un hôtel à Paris et vous demandez une chambre. Écrivez le dialogue avec le propriétaire de l'hôtel.

19. Un petit paysan qui sait compter

Deux étudiants d'une grande ville universitaire passent leurs vacances à la campagne. Un jour, au cours d'une promenade, ils rencontrent un petit paysan à l'entrée d'un village. Pour se moquer de lui, ils lui posent les questions
5 suivantes:

—Y a-t-il une école dans ton village?

—Certainement! s'écrie le gamin avec fierté.

—Tu y vas tous les jours de classe, n'est-ce pas?

—Naturellement, excepté quand je suis malade.

10 —Alors, dans ces conditions, tu as appris à compter?

—Oui, assez bien, je pense.

—A la bonne heure! Voyons, est-ce que tu peux nous dire combien nous sommes en tout, toi et nous deux?

Comprenant à présent que les deux étudiants veulent se
15 moquer de lui, le petit paysan leur répond sans hésiter:

—Votre question est facile. Vous deux et moi, nous sommes cent.

—Cent? Comment cela? lui demandent à la fois les deux amis surpris par cette réponse inattendue.

—C'est pourtant bien simple! Je suis le *un*, et vous, vous êtes 20 les deux *zéros*. Cela fait exactement 100, n'est-ce pas? leur explique tranquillement le gamin avec un sourire ironique.

universitaire which contains a university. —**promenade** *f.* walk. — **gamin** *m.* urchin. —**fierté** *f.* pride. —**inattendu** unexpected.

QUESTIONNAIRE

1. Où les deux étudiants passent-ils leurs vacances?
2. Qui rencontrent-ils au cours d'une promenade?
3. Où se trouve le petit paysan?
4. Pourquoi les étudiants posent-ils des questions au petit paysan?
5. Le gamin allait-il à l'école?
6. Quand n'allait-il pas à l'école?
7. Qu'avait appris le petit paysan?
8. Quel problème les deux étudiants lui ont-ils posé?
9. Le petit paysan trouve-t-il le problème difficile?
10. Quelle réponse donne-t-il aux étudiants?
11. Comment leur explique-t-il sa réponse?
12. Comment sourit-il après son explication?

DISCUSSION

1. Savez-vous faire des additions en français? Faites des additions à haute voix en français. (Par exemple 1 + 2; 3 + 4; 5 + 7; 6 + 8.)
2. Connaissez-vous ce petit attrape-nigaud (*booby-trap*): Dit-on sept et trois *fait* onze, ou bien sept et trois *font* onze? Quelle est la bonne réponse?
3. La question des étudiants «y a-t-il une école dans ton village?» était-elle bête? Y a-t-il beaucoup de paysans en France qui ne savent pas lire?
4. Pourquoi les étudiants disent-ils «tu» et «ton» au gamin? A qui diriez-vous «tu» en parlant français?
5. Quelle différence y a-t-il entre un paysan et un fermier? Si vous habitiez la campagne, que préféreriez-vous être: paysan, laboureur, métayer, agriculteur, cultivateur, fermier, rentier? (Trouvez le sens de chacun de ces mots.)

EXERCICES

1. Faites des phrases en employant les expressions suivantes: (a) à la campagne . . . , (b) au cours de . . . , (c) se moquer de . . . , (d) à la fois . . . , (e) c'est bien simple . . .

2. Trouvez dans le conte les synonymes des expressions ou des mots suivants: (a) où se trouve une université . . . , (b) quand je ne vais pas bien . . . , (c) étonné . . . , (d) un garçon qui demeurait à la campagne . . . , (e) voilà qui est bien . . . , (f) à laquelle ils ne s'attendaient pas . . . , (g) désirent . . . , (h) n'est pas difficile . . . , (i) pas mal . . . , (j) maintenant . . .

3. Un des étudiants, revenu à l'université, écrit une composition sur l'intelligence des paysans. Écrivez cette composition.

4. Expliquez en français pourquoi la réponse du garçon, tout en étant amusante, manquait d'exactitude mathématique.

20. *Le médecin et le professeur*

M. Laplace, professeur de mathématiques dans un petit collège de province, ne se sent pas en bonne santé depuis quelque temps. Comme c'est le cas pour beaucoup de professeurs, son travail a été exclusivement mental, et il a négligé de se donner de l'exercice. Il n'a plus la même énergie 5 que l'année dernière et ses classes manquent d'entrain. Il se rend compte qu'il est devenu peu à peu fatigué et irritable. Il est temps d'aller chez le médecin. Celui-ci l'ausculte longuement. M. Laplace n'a aucun symptôme de trouble organique: le médecin cherche donc un désordre nerveux ou mental. 10

—Dites-moi, monsieur le professeur, avez-vous de l'appétit quand vous prenez vos repas? lui demande-t-il d'abord.

—Je mange et je bois plutôt par habitude, par nécessité. Bien souvent, je n'ai ni faim ni soif quand je me mets à table, explique le professeur. 15

—A quelle heure vous couchez-vous, d'ordinaire?

—Je me couche généralement entre onze heures et minuit.

—Dormez-vous bien?

—Comme ci, comme ça. . . . Pas très bien.

20   —Savez-vous si vous parlez en dormant?

—Non, docteur, mais en classe il m'arrive souvent, maintenant, de parler pendant que mes élèves dorment.

collège *m.* secondary school (not like our colleges). —**santé** *f.* health.
—**négliger** to neglect. —**entrain** *m.* animation, life. —**ausculter** to
listen to the heart, with a stethoscope. —**onze** eleven. —**comme ci,
comme ça** so-so.

QUESTIONNAIRE

1. Quelle matière M. Laplace enseigne-t-il?
2. Où est-il professeur?
3. Comment se sent-il depuis quelque temps?
4. Qu'a-t-il négligé?
5. En agissant de cette façon, ressemble-t-il à beaucoup de professeurs?
6. Quand avait-il de l'énergie?
7. Qu'est-ce qui manque à ses classes?
8. Qu'est-ce qu'il est devenu peu à peu?
9. Que fait d'abord le médecin?
10. De quoi M. Laplace n'a-t-il aucun symptôme?
11. Quelle sorte de désordre le médecin cherche-t-il?
12. De quelle façon M. Laplace mange-t-il et boit-il?
13. A quelle heure se couche-t-il?
14. Comment dort-il?
15. Quel étrange phénomène lui arrive-t-il en classe?

DISCUSSION

1. Trouvez-vous ce conte humoristique? Pourquoi? Parce que vous-même vous avez souffert de professeurs ennuyeux (*boring*)?
2. Quand les étudiants s'endorment en classe, est-ce toujours la faute du professeur? N'est-ce pas, au contraire, parce qu'ils sont trop fatigués (trop de sports ou trop peu de sommeil)?
3. Quand vous êtes mal préparé, n'êtes-vous pas enclin (*inclined*) à trouver la classe peu intéressante?
4. Ce conte contient-il une leçon de morale pour les professeurs? Comment les professeurs peuvent-ils empêcher que leurs classes manquent d'entrain et que leurs étudiants s'endorment?
5. Quels conseils pourriez-vous donner à vos professeurs dans un cas semblable?
6. Avez-vous plus d'entrain en été qu'en hiver?

EXERCICES

1. Faites des phrases en employant les expressions suivantes: (a) depuis quelque temps . . . , (b) se rendre compte . . . , (c) peu à peu . . . , (d) il est temps de . . . , (e) d'abord . . . , (f) avoir soif . . . , (g) d'ordinaire . . . , (h) comme ci, comme ça . . . , (i) il m'arrive de . . . , (j) se mettre à table . . . , (k) être enclin à . . .

2. Continuez la conversation entre M. Laplace et le médecin. Le médecin recommande un régime (*diet*) et de l'exercice. M. Laplace lui répond.

3. Imaginez que vous ne vous sentez pas bien et que vous allez chez le médecin. Racontez votre visite, votre conversation avec le médecin, son examen, etc.

21. *Une comparaison galante*

Les salons littéraires parisiens du dix-septième siècle contribuèrent beaucoup au magnifique épanouissement de la langue et de la littérature françaises. C'est dans ces salons que se réunissait l'élite sociale et intellectuelle de la France: dames de la cour et courtisans, et aussi poètes et auteurs dramatiques 5 qui lisaient leurs chefs-d'œuvre.

On raconte qu'un jour, au cours d'une de ces réunions, un courtisan, renommé autant par son esprit que par ses belles manières, posa la question suivante à une dame qui était en train d'admirer une superbe pendule ancienne: 10

—Savez-vous, madame, la différence qu'il y a entre vous et cette pendule?

—Ma foi, non! répondit la dame étonnée par une question aussi surprenante. J'ai beau chercher, je ne trouve pas!

—Eh bien, ma chère amie, cette pendule marque les heures, 15 et vous, vous les faites oublier! expliqua le courtisan avec une galanterie exquise.

salon *m.* salon. —a sort of informal social and literary club at the home of a lady of social distinction and literary taste. —**épanouissement** *m.* expansion. —**courtisan** *m.* courtier. —**pendule** *f.* clock.

QUESTIONNAIRE

1. A quoi les salons littéraires parisiens du XVIIe siècle ont-ils contribué?
2. Quelles personnes se réunissaient dans ces salons?
3. Qu'est-ce qu'on y lisait?
4. Pour quelles qualités le courtisan dont il s'agit était-il renommé?
5. Qu'est-ce que la dame admirait?
6. Quelle question le courtisan lui a-t-il posée?
7. Quelle fut la réaction de la dame à cette question?
8. A-t-elle pu trouver une réponse?
9. Selon le courtisan, quelle était la différence entre la dame et la pendule?
10. Quel trait de caractère la réponse du courtisan indiquait-elle?

DISCUSSION

1. Renseignez-vous sur les salons français pour pouvoir discuter des questions comme celles-ci: Qui a fondé le premier salon très connu? Quels écrivains ont fréquenté ce salon? Quels genres littéraires ont été développés par ces salons? Quel effet les salons ont-ils eu sur l'Académie Française? Jusqu'à quelle époque les salons ont-ils eu une véritable importance dans le monde des lettres?

2. A votre avis, quelle influence la galanterie pouvait-elle avoir sur les œuvres des écrivains qui cherchaient à plaire aux dames des salons?

3. D'après cette anecdote, ne discutait-on que de la littérature dans les salons?

4. Pourrait-on aujourd'hui faire sérieusement un compliment galant comme celui de ce conte? Ce fait indique-t-il une amélioration ou une dégradation des mœurs (*manners and customs*)?

EXERCICES

1. Trouvez dans la colonne II les mots qui sont le contraire de ceux de la colonne I :

I	II
magnifique	étiolement
élite	inconnu
épanouissement	nouveau, récent
renommé	grossièreté
différence	ennemi
trouver	similitude
galanterie	vulgaire, affreux
ami	précédent
suivant	perdre
ancien	populace, plèbe

2. Faites des phrases en employant les expressions suivantes: (a) j'ai beau . . . , (b) il fait oublier . . . (c) il était en train de . . . , (d) autant . . . que . . . , (e) chef-d'œuvre . . .

3. Changez l'anecdote de la façon suivante: Le courtisan demande à la dame: «Savez-vous pourquoi vous ressemblez à cette pendule?» Donnez l'explication du courtisan (galante, ironique ou grossière— comme vous voulez), et ce qui s'ensuit.

4. Préparez, avec plusieurs étudiants, et présentez en classe un dialogue plein de cette politesse exquise, à la mode des salons français du XVIIe siècle.

22. *Une promesse bien tenue*

M. Michaud se promène lentement dans le parc. Il a subi une grave opération à la jambe droite le mois dernier, et il est en période de convalescence. Comme il est heureux de se sentir revivre! Le soleil, les arbres, les fleurs—tout lui paraît plus beau! Les chants des oiseaux lui semblent plus mélodieux, *5* et les personnes qu'il rencontre ont toutes l'air aimables. «Vraiment, la vie est belle!» pense-t-il, en marchant à l'aide de sa canne. Soudain, il aperçoit un ami d'enfance qui s'approche rapidement de lui.

—Bonjour! Que je suis content de te revoir debout, mon *10* vieux Michaud! s'écrie ce dernier. Sais-tu que tu as bonne mine?

—Merci, mon cher Jules. Oui, ça va assez bien. Je suis encore un peu pâle, et je ne me sens pas très fort, mais du moins je marche, exactement comme me l'avaient promis le chirurgien et mon médecin. *15*

—Ah! vraiment, ils te l'avaient promis? s'étonne Jules.

—Oui, mon vieux! Ils m'avaient assuré que je marcherais six semaines après l'opération. Ils ont tenu leur promesse! J'ai dû vendre mon auto pour pouvoir payer toutes leurs notes, et main-
20 tenant *je marche*, comme tu vois!

chant *m.* song. —**oiseau** *m.* bird. —**enfance** *f.* childhood. —**tu as bonne mine** you're looking well. —**chirurgien** *m.* surgeon. —**note** *f.* bill.

QUESTIONNAIRE

1. Où se promène M. Michaud?
2. Pourquoi ne marche-t-il pas vite?
3. Quand a-t-il subi son opération?
4. Comment se sent-il à présent?
5. Qu'est-ce qui lui paraît plus beau?
6. A l'aide de quoi marche-t-il?
7. Qui s'approche rapidement de lui?
8. Pourquoi Jules est-il content?
9. Quelle était la promesse du chirurgien et du médecin?
10. Quand avaient-ils dit que Michaud marcherait?
11. Qu'est-ce que Michaud a dû faire pour payer les notes?

DISCUSSION

1. Les impressions typiques d'un convalescent sont-elles bien notées dans ce conte? Pourquoi les convalescents trouvent-ils que la nature est belle?

2. Remarquez la psychologie du convalescent. Michaud trouve que la vie est belle, mais dès que son ami lui pose des questions sur son état, il commence à avoir pitié de lui-même. Trouvez-vous cela naturel?

3. Michaud montre-t-il de l'ingratitude à l'égard du médecin et du chirurgien? Pourquoi avons-nous tendance à montrer de l'ingratitude à l'égard de quelqu'un qui a sauvé notre vie?

EXERCICES

1. Trouvez dans le conte les mots ou les expressions qui sont synonymes de ceux-ci: (a) sans marcher vite . . . , (b) il voit . . . , (c) en vérité . . . , (d) tout à coup . . . , (e) ils m'avaient affirmé . . . , (f) il est convalescent . . . , (g) en s'aidant de . . . , (h) je me sens un peu faible . . . , (i) il a été opéré . . . , (j) fait une promenade
. . .

2. M. Michaud sort peu de temps après son opération. C'est au milieu de l'hiver; il fait très froid, il y a un vent du nord glacial et il neige. Décrivez les impressions de M. Michaud.

3. Écrivez une petite scène entre M. Michaud et la secrétaire du chirurgien. Elle lui donne la note des honoraires (*fee*) du chirurgien pour l'opération et celle des frais de clinique. M. Michaud est horrifié.

23. *La réponse éloquente*

Un professeur de français donne à sa classe le thème suivant comme sujet de composition: *Dites ce que vous feriez si vous étiez très riche.* Les élèves se mettent immédiatement au travail. Cependant, seul parmi ses camarades, André Bardot ne com-
5 mence pas sa composition. Il reste le nez en l'air à regarder par la fenêtre. De temps en temps, il observe avec une curiosité amusée le visage de ses voisins qui écrivent fébrilement. Puis il surveille pendant plusieurs minutes une mouche qui se promène sur son pupitre. Le temps passe et le professeur commence déjà
10 à ramasser les copies. Sans se presser, André prend son stylo et écrit un seul mot sur la feuille de papier qu'il a devant lui. Il signe ensuite son nom et tend sa feuille au professeur.

—Comment, Bardot, c'est tout ce que vous avez trouvé à écrire en une demi-heure? s'exclame celui-ci. Tous vos cama-
15 rades ont écrit plusieurs pages et vous n'avez écrit qu'un seul mot!

—Mais, monsieur, répond André Bardot sans se troubler, vous m'avez demandé de dire ce que je ferais si j'étais très riche. Je

vous ai donné sincèrement ma réponse. Elle est contenue élo-
quemment dans le mot que j'ai écrit: *rien.* C'est exactement ce 20
que je ferais si j'étais très riche!

nez *m.* nose. —**fébrilement** feverishly. —**surveiller** to watch. —
mouche *f.* fly. —**pupitre** *m.* desk (student's desk in a classroom). —
ramasser to pick up. —**copie** *f.* paper, exercise, copy. —**se presser** to
hurry. —**tendre** to hold out.

QUESTIONNAIRE

1. Quelle sorte d'exercice le professeur donne-t-il à sa classe?
2. Quel est le sujet de la composition?
3. Quand les élèves se mettent-ils au travail?
4. Lequel des élèves ne commence pas tout de suite?
5. De quel côté regarde André Bardot?
6. Qu'observe-t-il avec une curiosité amusée?
7. Que surveille-t-il pendant plusieurs minutes?
8. Qu'est-ce que le professeur commence à ramasser?
9. Que fait André avant de tendre sa feuille au professeur?
10. De quoi s'étonne le professeur?
11. Quelle est la réponse d'André Bardot?
12. Comment se justific-t-il?

DISCUSSION

1. Ce conte révèle-t-il le caractère d'un élève d'une intelligence
supérieure, mais paresseux (*lazy*) et trop satisfait de lui-même?
2. Les détails donnés dans le conte suffisent-ils pour décrire tout ce
qu'aurait fait André Bardot en une demi-heure? Ne se serait-il pas
bien plus ennuyé (*bored*) que s'il avait fait l'effort d'écrire une composition?
3. Que feriez-vous si vous deveniez très riche du jour au lendemain
(*in a very short time*)? Iriez-vous encore à l'université? Travailleriez-
vous? Vous amuseriez-vous? Voyageriez-vous?

EXERCICES

1. Trouvez dans la colonne II les mots ou les expressions qui sont
le contraire de ceux de la colonne I:

I	II
ramasser	tranquillement
amusé	garder son calme
fébrilement	laisser tomber

I	II
devant	laisser
curiosité	s'attarder
se presser	loisir
se troubler	en regardant par terre
travail	manque d'intérêt
prendre	ennuyé
le nez en l'air	derrière

2. Copiez ce conte en mettant tous les verbes qui sont au présent à un temps convenable du passé.

3. Continuez le conte ainsi: Le professeur explique à André Bardot pourquoi sa «composition,» tout en étant amusante, même logique, est déplorable au point de vue de la moralité, non seulement de la moralité chrétienne, mais aussi de la moralité utilitaire.

4. Écrivez une composition très courte sur le sujet que le professeur a donné à ses élèves dans ce conte.

24. Les deux télégrammes

André Joly est un étudiant intelligent mais paresseux. Il aime à s'amuser. Pendant que ses camarades étudient, André va au cinéma ou au café. Il ne manque jamais un bal. Il sait bien danser et jouer aux cartes, mais il ne sait pas ses cours. La fin de l'année scolaire approche. André commence à 5 étudier sérieusement. Naturellement, c'est trop tard. La semaine des examens arrive. Il n'est pas préparé et tout s'embrouille dans sa tête: il échoue lamentablement. Mais André n'est pas pessimiste! Il sera certainement reçu, l'année prochaine! C'est du moins ce qu'il expliquera à son père, quand il sera de retour 10 à la maison. En attendant, il faut lui apprendre la mauvaise nouvelle de ses échecs. Oui, mais comment? Soudain, André a une idée lumineuse: il préviendra non pas son père mais sa mère. Il va donc à la poste et envoie à celle-ci le télégramme suivant: 15

Ai raté mes examens. Prépare papa. Bons baisers. André.

Mais le télégramme qu'il reçoit de sa mère, le lendemain matin, ne contient pas la sorte de réponse qu'il attendait! Et c'est avec inquiétude qu'il lit:

Papa prévenu. Très en colère. Prépare-toi. Maman.

paresseux lazy. —**cinéma** *m.* movies. —**bal** *m.* dance. —**s'embrouiller** to get mixed up. —**échouer** to fail. —**être reçu** to pass. —**être de retour** to be back. —**à la maison** at home. —**en attendant** in the meantime. —**échec** *m.* failure. —**poste** *f.* post office. —**rater** to miss, fail, "flunk" (colloq.). —**baiser** *m.* kiss.

QUESTIONNAIRE

1. Quelle sorte d'étudiant est André Joly?
2. Qu'aime-t-il?
3. Que fait-il pendant que ses camarades étudient?
4. Lui arrive-t-il de manquer un bal?
5. Que sait-il bien faire?
6. Qu'est-ce qu'André commence à faire à la fin de l'année scolaire?
7. Qu'est-ce qui se passe dans sa tête pendant la semaine des examens?
8. Quel est le résultat des examens d'André?
9. Qu'espère-t-il pour l'année prochaine?
10. Que compte-t-il expliquer à son père, à son retour à la maison?
11. Quelle est l'idée lumineuse d'André?
12. Quelle est la réaction du père à la lecture (*upon reading*) du télégramme?
13. Pourquoi André est-il inquiet?

DISCUSSION

1. Aux États-Unis, est-ce à la poste qu'on va pour envoyer des télégrammes? En France, c'est au bureau de poste qu'on envoie des télégrammes. Le réseau (*system, network*) télégraphique appartient à l'État. Aux États-Unis appartient-il aussi à l'État?

2. Savez-vous où on peut acheter des timbres (*stamps*) en France, quand le bureau de poste n'est pas proche (*near*)? Où trouve-t-on les boîtes aux lettres?

3. En quoi le style télégraphique français ressemble-t-il au style télégraphique anglais?

4. Savez-vous les expressions qu'on emploie en France quand on téléphone? Savez-vous si on y demande les numéros (*numbers*) comme aux États-Unis?

EXERCICES

1. Trouvez dans le conte les synonymes des expressions suivantes:
(a) quand il sera rentré . . . , (b) il a été recalé . . . , (c) chez lui
. . . , (d) n'est pas prêt . . . , (e) se divertir . . . , (f) la dépêche
. . . , (g) l'espèce . . . , (h) avertir quelqu'un . . . , (i) le jour
suivant . . . , (j) avec appréhension . . .

2. Trouvez la fin qui convient à chaque phrase:

(a) André Joly est un étudiant
$\begin{cases} \text{bête mais sérieux.} \\ \text{qui pourrait réussir, mais qui ne travaille pas.} \\ \text{stupide et paresseux} \end{cases}$

(b) Il sait bien danser, mais il
$\begin{cases} \text{n'aime pas aller au bal.} \\ \text{ne sait pas jouer au bridge.} \\ \text{n'étudie pas.} \end{cases}$

(c) Tout s'embrouille, parce qu'il
$\begin{cases} \text{est mal préparé.} \\ \text{a besoin de dormir.} \\ \text{a peur de son père.} \end{cases}$

(d) Il doit dire à son père qu'il
$\begin{cases} \text{a reçu un chèque.} \\ \text{a subi un échec.} \\ \text{joue bien aux échecs.} \end{cases}$

(e) Le télégramme de sa mère
$\begin{cases} \text{est inquiétant.} \\ \text{n'arrive pas à temps.} \\ \text{le rassure.} \end{cases}$

3. Changez le conte ainsi: André a de la chance et il est reçu aux
examens. Décrivez sa joie, rédigez son télégramme à son père et la
réponse de ce dernier.

4. Écrivez un petit dialogue entre André Joly et son camarade de
chambre, qui est très sérieux et travaille bien.

25. Deux douzaines d'huîtres, s'il vous plaît

C'est aujourd'hui dimanche. Selon son habitude, Mme Bon-nard a l'intention de préparer un plat spécial pour le déjeuner. Elle réfléchit. «Des huîtres!» s'exclame-t-elle tout à coup. «Ce sera une bonne surprise!» Vite, elle met son chapeau
5 et son manteau et court au marché.

—Deux douzaines d'huîtres, s'il vous plaît! demande-t-elle au marchand.

—Tout de suite, madame, répond celui-ci avec empressement.

—Elles sont fraîches, n'est-ce pas?

10 —Pour sûr, madame, elles viennent d'arriver!

—Ça ne veut rien dire. Combien de temps ont-elles été en route?

—Je n'en sais rien, mais rassurez-vous, madame, elles sont tout à fait fraîches. Je vous le garantis.

—Ne les choisissez pas trop grosses, si possible.   *15*

—C'est entendu, madame.

—N'en mettez pas qui soient trop petites, cependant. Il n'y rien à manger, quand elles sont trop petites.

—C'est ça, madame.

—Tâchez d'en trouver qui n'aient pas la coquille épaisse. *20* Nous préférons les huîtres qui ont la coquille mince.

—Très bien, madame.

—Ah! mon Dieu! J'allais oublier. Surtout n'en mettez pas qui soient trop salées, recommande encore Mme Bonnard.

—Dites-moi, madame, lui demande alors le marchand à bout *25* de patience, voulez-vous les huîtres avec ou sans perles?

douzaine *f.* dozen. —**huître** *f.* oyster. —**plat** *m.* dish, plate, course (of food). —**déjeuner** *m.* lunch. —**marché** *m.* market. —**marchand** *m.* storekeeper. —**empressement** *m.* eagerness, promptness. —**frais** (**fraîche**) fresh. —**pour sûr** surely. —**c'est entendu** all right (it's agreed). —**c'est ça** that's it. —**tâcher** to try. —**coquille** *f.* shell. — **épais** thick. —**mince** thin. —**salé** salty. —**à bout de** at the end of. —**perle** *f.* pearl.

QUESTIONNAIRE

1. Quelle est l'habitude de Mme Bonnard le dimanche?
2. Quelle surprise désire-t-elle faire à sa famille?
3. Que met-elle pour sortir?
4. Combien d'huîtres demande-t-elle au marchand?
5. Quelle était la preuve que les huîtres étaient fraîches?
6. Est-ce que Mme Bonnard a accepté cette preuve?
7. Mme Bonnard voulait-elle de grosses huîtres?
8. Selon Mme Bonnard, quel est le désavantage des petites huîtres?
9. Mme Bonnard aime-t-elle les huîtres à la coquille épaisse?
10. Quelle était la dernière recommandation de Mme Bonnard au marchand?
11. De quelle façon le marchand lui a-t-il répondu?

DISCUSSION

1. Dans votre ville, les magasins d'alimentation (*food stores*) sont-ils ouverts le dimanche? Le fait qu'ils sont ouverts le dimanche en France vous semble-t-il indiquer des habitudes différentes des nôtres?

2. Nous avons un dicton (*saying*) qui recommande de ne pas manger d'huîtres pendant les mois qui s'écrivent sans *r*. Pourquoi?

3. Trouvez-vous que le marchand. d'huîtres était. patient et poli? Un marchand américain serait-il aussi patient? aussi poli?

4. En français, on dirait que Mme Bonnard était *difficile*. Quels mots emploierait-on en anglais pour la caractériser?

5. Un marchand d'huîtres sait-il d'avance s'il y a une perle dans une huître?

6. En France, on mange en général les huîtres crues (*raw*) sur la moitié de la coquille. Comment les mangez-vous?

EXERCICES

1. Faites des phrases en employant les expressions suivantes: (a) c'est aujourd'hui . . . , (b) avoir l'intention de . . . , (c) s'il vous plaît . . . , (d) c'est entendu . . . , (e) c'est ça . . . , (f) à bout de . . .

2. *Aient* (ligne 17) et *soient* (ligne 20) sont au subjonctif. Expliquez pourquoi.

3. Supposez que le marchand n'ait pas d'huîtres. Mme Bonnard va chez le boucher (*butcher*). Elle lui demande un bifteck et donne beaucoup de détails sur la sorte de bifteck qu'elle veut. Écrivez son dialogue avec le boucher.

4. Continuez le conte, en racontant le retour de Mme Bonnard avec les huîtres, et le déjeuner. Son mari trouve une perle dans une huître, etc.

26. *Les fractions*

M. Denis, l'instituteur, vient d'expliquer à sa classe la première leçon sur les fractions. Il commence maintenant à interroger ses élèves.

—Votre maman partage également un morceau de gâteau entre votre sœur et vous. Quelle fraction chacun de vous aura- *5* t-il, Louis? demande-t-il à l'un d'eux.

—La moitié, monsieur! répond Louis sans hésitation.

—Si votre mère partage une tablette de chocolat entre vos deux frères et vous, quelle fraction chacun recevra-t-il, Auguste?

—Un tiers, monsieur! *10*

—Très bien. A présent, nous allons supposer que trois camarades viennent vous faire une visite. Vous n'avez qu'une pomme à la maison. Que ferez-vous, Jean?

—Je la couperai en quatre, et chacun en aura le quart, monsieur! s'écrie Jean, sûr de lui. *15*

—A la bonne heure! approuve le maître. Nous allons supposer maintenant que cinq amis sont venus chez vous. Vous n'avez qu'une seule pomme à la maison. Comment allez-vous arranger cela, Michel?

—Ce n'est pas difficile, monsieur! répond aussitôt le jeune *20*

Michel. Si cinq de mes amis venaient me voir, et si je n'avais qu'une pomme, j'attendrais leur départ pour la manger tout seul!

instituteur *m.* teacher. —**partager** to divide into parts, share. — **gâteau** *m.* cake. —**tablette** *f.* bar (of chocolate). —**tiers** *m.* third. — **pomme** *f.* apple.

QUESTIONNAIRE

1. Quelle leçon M. Denis vient-il d'expliquer à sa classe?
2. Que fait-il maintenant?
3. Quelle question pose-t-il à Louis?
4. Comment Louis répond-il?
5. Quel problème l'instituteur pose-t-il à Auguste?
6. Auguste répond-il correctement?
7. Combien de camarades venaient voir Jean, selon le problème donné par M. Denis?
8. Qu'est-ce que Jean pensait faire de sa pomme?
9. Comment le maître reçoit-il la réponse de Jean?
10. En combien de parties Michel aurait-il dû diviser sa pomme?
11. Quelle solution a-t-il trouvée à son problème?

DISCUSSION

1. La réponse de Michel montre-t-elle qu'il est plus égoïste que les autres garçons ou plus intelligent?
2. La méthode employée par M. Denis, d'appliquer à la vie de tous les jours les problèmes théoriques de l'arithmétique, est-elle une bonne méthode? Est-on obligé de répéter les exemples à l'infini, pour être sûr que les élèves ont compris? Pour cette raison, cette méthode ne devient-elle pas ennuyeuse et fatigante?
3. Trouvez-vous normales la promptitude et l'exactitude des réponses de la classe? Des réponses exactes et promptes étaient-elles nécessaires pour le développement du conte? Pourquoi?

EXERCICES

1. Lisez en français les fractions suivantes: ½, ⅓, ⅔, ¼, ¾, ⅕, ⅒, ⅟₁₅, ⅟₂₄, ⅟₉₀.
2. Faites des phrases en employant les expressions suivantes: (a) l'un d'eux . . . , (b) venir de faire . . . , (c) venir faire . . . , (d) n'avoir que . . . , (e) couper en . . .

3. Changez le conte ainsi : Après la réponse de Jean, M. Denis interroge Robert sur la manière de diviser une pomme en cinq. Robert répond mal. Écrivez la question et la réponse.

4. Écrivez la petite explication sur les fractions que M. Denis aurait pu donner à sa classe avant de les interroger.

27. Le mendiant aveugle
et sourd-muet

Il fait beau, aujourd'hui. Nous sommes en mai et le soleil est déjà chaud. Mme Gaudin se promène lentement le long de l'avenue de la République, à l'ombre des platanes. Tout à coup, son attention est attirée par la vue d'un mendiant assis sur un
5 banc. Il est en train de lire un magazine, tout en mangeant une saucisse avec un énorme morceau de pain. Mme Gaudin s'arrête, stupéfaite, et l'observe à loisir. «Il n'y a pas de doute, c'est bien l'aveugle à qui j'ai donné deux francs la semaine dernière, sur la place du marché! Ça, c'est trop fort!» pense-t-
10 elle, indignée. Elle s'approche du vieillard et l'interpelle sans hésiter.

—Je vous reconnais! Je vous ai donné quarante sous, il y a quelques jours, sur la place du marché. Vous portiez alors de grosses lunettes noires et vous vous faisiez passer pour aveugle.

A présent, votre écriteau indique que vous êtes sourd-muet, et 15
je vous surprends en train de lire, par-dessus le marché! Vous
n'êtes qu'un misérable vaurien! s'écrie Mme Gaudin d'un ton
plein de mépris.

   —Ah! non, madame! Ne dites pas ça! s'écrie le mendiant
professionnel, oubliant qu'il est maintenant sourd-muet. Ce 20
n'est pas parce que vous m'avez donné quarante sous que vous
avez le droit de m'insulter! Du reste, vous vous trompez, madame, je ne lis pas, je regarde seulement les images!

mendiant *m.* beggar. —**aveugle** blind. —**sourd-muet** deaf and
dumb. —**platane** *m.* plane tree. —**saucisse** *f.* sausage. —**stupéfait**
stupefied, dumbfounded. —**à loisir** at one's leisure, thoroughly. —
Ça, c'est trop fort! *That's really the limit!* —**vieillard** *m.* old
man. —**interpeller** to address, speak to. —**quarante sous** 40 sous (=
2 francs). —**se faire passer pour** to pose as. —**écriteau** *m.* sign. —
par-dessus le marché "to top it all", into the bargain. —**vaurien** *m.*
good-for-nothing. —**mépris** *m.* contempt.

QUESTIONNAIRE

1. Cette histoire se passe à quelle époque?
2. Quel temps fait-il?
3. Où Mme Gaudin se promène-t-elle?
4. Qu'est-ce qui attire tout à coup son attention?
5. Que fait le mendiant?
6. Quelle est la réaction de Mme Gaudin?
7. Que pense-t-elle?
8. Qu'est-ce qu'elle avait donné au mendiant, quelques jours au-
    paravant?
9. Que portait le mendiant ce jour-là?
10. Qu'indique son écriteau à présent?
11. Comment est-ce que Mme Gaudin l'appelle?
12. Qu'est-ce que le mendiant oublie quand il parle à Mme Gaudin?
13. Selon lui, qu'est-ce que Mme Gaudin n'a pas le droit de faire?
14. Pourquoi le mendiant dit-il à Mme Gaudin qu'elle se trompe?

DISCUSSION

   1. La scène présentée dans le premier paragraphe est-elle typique
d'une petite ville française? Y a-t-il des platanes et des bancs dans
toutes les rues?

2. Mme Gaudin avait donné deux francs au mendiant. Pourquoi, en lui parlant, dit-elle «quarante sous»? Le sou fait-il partie du système monétaire français officiel?

3. Que trouvez-vous comique dans ce conte? La naïveté du mendiant, qui croit s'excuser en disant qu'il n'est pas en train de lire, ou son orgueil professionnel (il fait son métier [*trade*] de mendiant, pourquoi donc l'insulter)? Êtes-vous indigné contre le mendiant ou contre Mme Gaudin?

EXERCICES

1. Trouvez dans le conte les synonymes des expressions ou des mots suivants: (a) il ne peut ni entendre ni parler . . . , (b) vous faisiez semblant d'être . . . , (c) pancarte . . . , (d) la semaine passée . . . , (e) il est certain . . . , (f) vient tout près . . . , (g) des injures . . . , (h) il fait chaud au soleil . . . , (i) uniquement . . .

2. Trouvez dans la colonne II les mots ou les expressions qui sont le contraire de ceux de la colonne I:

I	II
assis	être infaillible
vaurien	faible
se tromper	debout
insulter	homme de valeur
énorme	complimenter
fort	petit, minuscule

3. Décrivez la scène suivante: Le mendiant raconte au Syndicat des Mendiants comment Mme Gaudin l'a insulté. Après une longue discussion, le Syndicat décide que les mendiants doivent se mettre en grève (*strike*) (parce qu'on a porté atteinte à leur honneur).

4. Écrivez la conversation entre Mme Gaudin et le mendiant aveugle sur la place du marché, quand elle lui donne quarante sous.

28. Ça n'a pas d'importance

Le petit Pierre entre dans l'épicerie de M. Rousseau. C'est son magasin préféré: on peut y voir tant de choses! Chaque fois qu'il y va, il y découvre quelque chose de nouveau. Aujourd'hui, comme d'ordinaire, il y a déjà plusieurs clients dans le magasin et il doit attendre son tour. Mais cela ne déplaît pas _5_ à Pierre, au contraire! Il a ainsi le loisir de faire un petit tour d'exploration.

Les étalages appétissants de bonbons, de gâteaux secs et de tablettes de chocolat, à droite, l'attirent tout d'abord et lui mettent l'eau à la bouche. «Plus tard, je serai épicier comme M. _10_ Rousseau. C'est un métier épatant. On peut choisir et manger tous les bonbons qu'on veut!» pense-t-il. Puis il passe à gauche, dans la partie du magasin où se trouvent les paniers de légumes et de fruits frais. «Quelles belles cerises! Ah! quand je serai épicier! J'en mangerai autant qu'il me plaira, et des pommes, _15_ des poires et des prunes aussi!»

«C'est à ton tour, Pierrot!» la voix de M. Rousseau le surprend et interrompt son beau rêve d'avenir. Pierre sort alors de son porte-monnaie un morceau de papier et le tend à l'épicier. «Une
20 demi-livre de café, une boîte de cacao, un kilo de sucre, un kilo de cerises et une livre de raisin», lit celui-ci à voix haute. Il regarde ensuite l'enfant et lui demande:—Quelle sorte de raisin veux-tu? Il y en a du blanc et du noir.

—C'est comme vous voudrez, M. Rousseau, répond le petit
25 Pierre. Ça n'a pas d'importance.

—Comment? Ça vous est égal de manger du raisin blanc ou du raisin noir?

—Le raisin est pour grand-père qui est aveugle; alors, vous comprenez, ça ne fait rien! explique le petit Pierre, le plus
30 candidement du monde.

épicerie *f.* grocery. —**magasin** *m.* store. —**client** *m.* customer. —**déplaire** to displease. —**loisir** *m.* leisure. —**étalage** *m.* display. —**appétissant** appetizing. —**lui mettre l'eau à la bouche** to make his mouth water. —**épicier** *m.* grocer. —**métier** *m.* trade. —**épatant** wonderful (colloq.). —**panier** *m.* basket. —**légume** *m.* vegetable. —**cerise** *f.* cherry. —**prune** *f.* plum. —**porte-monnaie** *m.* purse. —**livre** *f.* pound (= 500 grammes: not an official weight). —**café** *m.* coffee. —**boîte** *f.* box. —**cacao** *m.* cocoa. —**kilo** *m.* kilogram (= 1000 grammes). —**sucre** *m.* sugar. —**raisin** *m.* grapes. —**ça ne fait rien** it makes no difference.

QUESTIONNAIRE

1. Qui entre dans l'épicerie de M. Rousseau?
2. Pourquoi Pierre préfère-t-il ce magasin?
3. Pourquoi Pierre doit-il attendre?
4. Qu'a-t-il le loisir de faire?
5. Quels étalages l'attirent d'abord?
6. Pourquoi Pierre trouve-t-il épatant le métier d'épicier?
7. Qu'est-ce qui se trouve dans la partie gauche du magasin?
8. Quels fruits Pierre remarque-t-il surtout?
9. Qu'est-ce que Pierre sort de son porte-monnaie?
10. Qui lit ce qui est écrit sur le morceau de papier?
11. Quelle sorte et quelle quantité de fruits Pierre doit-il acheter?
12. Qu'est-ce qu'il doit acheter d'autre?
13. Quel renseignement l'épicier demande-t-il à Pierre?

14. Quelle est la réponse de Pierre?
15. Pourquoi Pierre trouve-t-il que la sorte de raisin est sans importance?

DISCUSSION

1. Si une livre française pèse (*weighs*) 500 grammes, est-elle du même poids qu'une livre anglaise? Comparez les poids et les mesures employés en France aux poids et mesures anglais utilisés ici. Lesquels vous semblent les plus pratiques? Pourquoi?

2. Quand vous étiez enfant, aviez-vous des désirs pareils à ceux du petit Pierre? Cela est-il caractéristique de tous les enfants? Est-ce de l'avidité, que l'éducation n'a pas encore corrigée dans le cas de Pierre, ou est-ce simplement la fraîcheur des sensations qui est un attribut de l'enfance?

3. Croyez-vous que le grand-père aurait pu distinguer entre du raisin noir et du raisin blanc? Le goût est-il infaillible sans la vue?

EXERCICES

1. En rentrant chez lui, Pierre joue «au marchand» avec son ami Georges et sa petite sœur Nini (4 ans). Écrivez un dialogue entre eux. (Rappelez-vous que les enfants se tutoient.)

2. Imaginez ce changement dans le conte: Avant que son tour n'arrive, Pierre, cédant à la tentation, prend des cerises, une pomme et des bonbons, et s'enfuit (*runs away*). Décrivez la scène.

3. Faites des phrases en employant les expressions suivantes: (a) faire un tour . . . , (b) comme d'ordinaire . . . , (c) à mon tour . . . , (d) cela m'est égal . . . , (e) cela ne me fait rien . . .

4. Si vous deviez passer l'été dans un appartement à Paris, vous auriez besoin de remplir votre office (*pantry*) d'une certaine quantité de provisions. Cherchez dans un dictionnaire les mots français qu'il faudrait apprendre, et faites une liste de ce que vous achèteriez pour commencer.

29. Le cours de littérature française

Nous sommes au début de juillet. Il est deux heures de l'après-midi, et il fait une chaleur suffocante dans cette petite ville du Midi. La salle de classe de M. Merlot semble plongée dans une profonde torpeur, comme toutes les autres
5 salles de classe du lycée qui, à cette heure, sont exposées au soleil brûlant.

Tout le monde a chaud; tout le monde a envie de dormir, dans la salle de classe de M. Merlot! M. Merlot, lui-même, peut à peine se tenir éveillé devant ses élèves. C'est sa classe de lit-
10 térature française qu'il aime le moins et qu'il craint le plus. Quel est le professeur qui aime à faire une classe, n'importe quelle classe, immédiatement après le déjeuner, surtout quand il s'agit d'un déjeuner français, c'est-à-dire d'un repas aussi copieux qu'un dîner américain?
15 —Gérardin, veuillez lire le chapitre qui commence à la page 167, demande M. Merlot à un élève à moitié endormi au fond de la salle.

L'élève fait un effort surhumain pour ouvrir complètement les yeux, et commence à lire d'une voix monotone. Au bout de quelques minutes de lecture, sa voix est devenue une sorte de 20 berceuse qui achève d'endormir les derniers élèves luttant encore contre le sommeil.

—Cela suffit! interrompt soudain M. Merlot. Donnez-nous maintenant un résumé du magnifique passage que vous venez de lire. 25

Alors, rouvrant péniblement ses yeux de nouveau fermés, l'élève répond comme dans un rêve:—Un résumé de ce que je viens de lire? Je regrette, monsieur, *je n'écoutais pas!*

juillet *m.* July. —**chaleur** *f.* heat. —**Midi** *m.* the South of France. —**plonger** to plunge. —**lycée** *m.* high school, lycee. —**enseigner** to teach. —**endormi** asleep. —**au fond de** at the back of. —**surhumain** superhuman. —**lecture** *f.* reading. —**berceuse** *f.* lullaby. —**lutter** to fight, struggle. —**sommeil** *m.* sleep. —**rouvrir** to reopen. —**péniblement** with difficulty, painfully.

QUESTIONNAIRE

1. Quelle est l'époque à laquelle cette histoire se passe?
2. Dans quelle partie de la France se passe-t-elle?
3. Quel temps fait-il?
4. A quoi sont exposées les salles de classe du lycée à cette heure-là?
5. De quoi a-t-on envie dans la classe de M. Merlot?
6. M. Merlot est-il beaucoup plus éveillé que ses élèves?
7. Quels sont ses sentiments à l'égard de cette classe de littérature française?
8. Est-ce facile d'enseigner immédiatement après un déjeuner français?
9. A quelle page M. Merlot demande-t-il à Gérardin de lire?
10. Quelle sorte d'effort l'élève doit-il faire pour commencer à lire?
11. De quelle façon lit-il?
12. Que devient sa voix après quelques minutes?
13. Comment M. Merlot trouve-t-il le passage que Gérardin vient de lire?
14. Comment Gérardin rouvre-t-il les yeux?
15. Pourquoi ne peut-il pas donner un résumé?
16. A votre avis (*in your opinion*), devrait-on donner des classes immédiatement après le déjeuner, surtout en été?

DISCUSSION

1. Savez-vous la date du commencement des vacances scolaires en France? Quelle est la date de la réouverture des cours?

2. Pourquoi la partie sud de la France s'appelle-t-elle *le Midi?* Le climat du Midi ressemble-t-il à celui de la Louisiane, de la Virginie, du Minnesota, de la Californie du sud ou de l'Orégon?

3. Les déjeuners français sont-ils toujours copieux? Les hommes d'affaires français prennent-ils quelquefois leurs déjeuners au comptoir d'une pharmacie, ou dans un restaurant où on se sert soi-même?

4. La conclusion du conte est-elle possible? Peut-on lire à voix haute sans écouter ce qu'on lit?

5. Connaissez-vous un beau poème français qui exprime bien cette torpeur causée par la chaleur du soleil d'été? Si vous ne le connaissez pas, demandez à votre professeur de vous le lire.

EXERCICES

1. Trouvez dans le conte les synonymes des expressions ou des mots suivants: (a) lisez, s'il vous plaît . . . , (b) il est question de . . . , (c) qui finit . . . , (d) dont il a le plus peur . . . , (e) a du mal à . . . , (f) un engourdissement complet . . . , (g) s'empêcher de dormir . . . , (h) après avoir lu pendant quelque temps . . . , (i) une chanson pour endormir les enfants . . . , (j) un effort prodigieux . . .

2. Continuez le conte ainsi: l'inspecteur des lycées arrive et trouve la classe endormie. (Il s'indigne ou peut-être bien s'endort-il lui-même.)

3. Supposez que vous vous soyez endormi en classe pendant un cours. Racontez ce qui s'est passé.

30. M. Legrand va manger
du poisson

M. Legrand a l'habitude d'aller au café tous les jours après le déjeuner. Il y trouve des amis et passe agréablement une heure ou deux avec eux. Ils jouent aux cartes, parlent des affaires ou de la politique, et boivent avec un réel plaisir de la bonne bière fraîche ou une tasse de café noir bien 5 chaud. Pendant ce temps, Mme Legrand s'occupe des clients qui viennent à l'épicerie, car M. Legrand est épicier.

Aujourd'hui, au cours de sa partie de cartes, M. Legrand a entendu un homme, assis à la table voisine, dire à son interlocuteur que le poisson constituait un aliment idéal pour le développe- 10 ment des facultés mentales. Cette remarque a beaucoup impressionné M. Legrand, car il sait que son intelligence n'est pas extraordinaire. Sa femme le lui a répété à maintes reprises. C'est pourquoi il se décide à aller chez son médecin, avant de retourner à la maison. 15

—Docteur, lui demande-t-il, dès qu'il est admis dans le cabinet, je viens d'entendre dire qu'on peut augmenter ses facultés mentales en mangeant beaucoup de poisson. Est-ce que c'est vrai?

20   —Il paraît que c'est vrai.

—Alors vous pouvez sans doute me dire quelle sorte de poisson je devrais manger? demande M. Legrand avec l'espoir de prouver un jour à sa femme qu'elle s'est trompée, et qu'en réalité il est doué d'une vive intelligence.

25   —Certainement! répond le médecin avec un sourire ironique. Dans votre cas, je vous conseillerais, pour commencer, de manger une baleine.

poisson *m.* fish. —**carte** *f.* card. —**réel** real, true. —**bière** *f.* beer. — **tasse** *f.* cup. —**interlocuteur** *m.* person to whom one is speaking. — **aliment** *m.* food. —**à maintes reprises** many times. —**cabinet** *m.* office. —**doué** endowed. —**conseiller** to advise. —**baleine** *f.* whale.

QUESTIONNAIRE

1. Où M. Legrand va-t-il tous les jours après le déjeuner?
2. Qu'y trouve-t-il?
3. Combien de temps y passe-t-il?
4. Quels sont les plaisirs du café?
5. Pendant que son mari est au café, que fait Mme Legrand?
6. A quoi M. Legrand a-t-il joué aujourd'hui, au café?
7. Qu'a-t-il entendu dire à la table voisine?
8. Pourquoi la remarque qu'il a entendue l'a-t-elle impressionné?
9. Qu'est-ce que sa femme lui a répété à maintes reprises?
10. Où M. Legrand se décide-t-il à aller?
11. Quand va-t-il chez le médecin?
12. Qu'est-ce que M. Legrand demande au médecin?
13. Le médecin croyait-il à la théorie dont M. Legrand lui a parlé?
14. Quel était l'espoir de M. Legrand?
15. Quel conseil le médecin lui a-t-il donné?

DISCUSSION

1. Y a-t-il aux États-Unis des cafés comme celui décrit dans ce conte? Quelles différences y a-t-il entre un café français et une taverne ou un bar, comme on en trouve aux États-Unis, ou un *pub*, comme on en trouve en Angleterre?

2. La théorie que le poisson est un aliment idéal pour le développement des facultés mentales a-t-elle une base scientifique? Les Esqui-
maux, qui mangent surtout du poisson, ont-ils tous une intelligence
supérieure?

3. Cette théorie se serait-elle développée parce qu'on aime moins le
poisson que la viande, et que beaucoup de personnes pensent, à tort
ou à raison, que ce qu'on n'aime pas est meilleur pour la santé que ce
qu'on aime?

4. Les jeûnes (*fasts*) recommandés par les différents cultes (*religions*
or *denominations*) ont-ils une justification scientifique? Est-il plus sain
(*healthy*) de manger du poisson que de manger de la viande?

5. Une baleine est-elle vraiment un poisson?

EXERCICES

1. Trouvez la fin qui convient à chaque phrase:

(a) M. Legrand va au café tous les jours parce que
- ça l'amuse.
- sa boutique **est** fermée.
- c'est là qu'il tra-vaille.

(b) Un homme a parlé du poisson
- en buvant de la bière.
- à une table voisine.
- en jouant aux cartes avec M. Legrand.

(c) M. Legrand sait que son intelligence
- est inexistante.
- est médiocre.
- est supérieure à celle de sa femme.

(d) Les remarques du médecin montrent qu'il
- accepte les croyances populaires.
- a un esprit fort scep-tique.
- n'a jamais mangé de poisson.

(e) Le médecin dit à M. Legrand
- de ne manger que des baleines.
- que les baleines sont délicieuses.
- de manger d'abord une baleine.

2. Trouvez dans la colonne II les mots et les expressions qui sont le
contraire de ceux de la colonne I:

I	II
à maintes reprises	désespoir
extraordinaire	éloigné
beaucoup	décroître
espoir	imaginaire
voisin	rarement
frais	peu
augmenter	commun, ordinaire
réel	chaud

3. Écrivez une petite scène dans laquelle M. Legrand et ses amis (le propriétaire du café, un coiffeur, un fermier, etc.) parlent de la politique. (N'oubliez pas que M. Legrand n'est pas très intelligent.)

31. Une femme de chambre discrète

Mme Martinot a engagé dernièrement une femme de chambre dont elle est satisfaite. C'est une jeune paysanne, propre, honnête, et qui fait son travail lentement, mais bien. Elle s'appelle Mélanie, et son visage ouvert et souriant plaît à Mme Martinot. Elle n'est pas curieuse; Mme Martinot ne l'a *5* jamais surprise en train d'écouter aux portes. Certes, Mélanie n'est pas très intelligente, mais, par contre, c'est une brave jeune fille de la campagne, sincère et dévouée.

Cet après-midi, avant d'aller faire des achats en ville, Mme Martinot écrit une lettre à la hâte et demande à Mélanie de la *10* jeter dans la boîte aux lettres voisine. Cependant, à peine Mélanie est-elle sortie que Mme Martinot se rappelle soudain qu'elle a oublié d'écrire l'adresse sur l'enveloppe. «Bah! Mélanie verra qu'il n'y a pas d'adresse et me rapportera la lettre», pense-t-elle. C'est pourquoi, lorsque Mélanie revient au bout de quel- *15* ques minutes, elle lui demande avec assurance: «Vous me rapportez la lettre, n'est-ce pas?»

—Mais non, madame, répond la femme de chambre étonnée. Vous m'avez dit de la jeter dans la boîte et je l'ai fait.

20   —N'avez-vous pas remarqué qu'il n'y avait pas d'adresse sur l'enveloppe? interroge Mme Martinot surprise.

—Si, madame, j'ai vu qu'il n'y en avait pas.

—Et vous l'avez jetée quand même? s'écrie Mme Martinot consternée.

25   —Oui, madame. J'ai pensé que vous ne vouliez pas que je sache à qui vous l'envoyiez, explique le plus naturellement du monde notre brave Mélanie, discrète et pas curieuse . . .

femme de chambre *f.* maid, lady's maid. —**dernièrement** lately. — **par contre** on the other hand. —**dévoué** devoted. —**achat** *m.* purchase. —**à la hâte** in a hurry. —**si** yes (in replying affirmatively to a negative question). —**quand même** in spite of that.

QUESTIONNAIRE

1. Qui Mme Martinot a-t-elle engagé dernièrement?
2. Comment travaille la jeune paysanne?
3. Comment est le visage de Mélanie?
4. Écoute-t-elle aux portes?
5. Quel est le défaut de Mélanie?
6. Quand Mme Martinot écrit-elle une lettre?
7. Que demande-t-elle à Mélanie?
8. Qu'est-ce que Mme Martinot se rappelle soudain?
9. Que pense-t-elle que Mélanie verra?
10. Au bout de combien de temps Mélanie revient-elle?
11. Que lui demande sa maîtresse avec assurance?
12. Pourquoi Mélanie est-elle étonnée?
13. La femme de chambre a-t-elle remarqué que l'adresse manquait?
14. Pourquoi a-t-elle obéi quand même à sa maîtresse?
15. Mélanie est-elle troublée par ce qu'elle a fait?

DISCUSSION

1. Ce conte soulève des problèmes moraux, non seulement les problèmes des rapports entre maîtresse et femme de chambre, mais des questions générales de discipline, d'obéissance, d'initiative, etc. Si vous aviez une bonne (*maid*), exigeriez-vous qu'elle soit d'une obéissance et d'une discrétion absolues, ou bien lui permettriez-vous d'avoir de l'initiative?

2. Si vous étiez officier dans l'Armée ou la Marine, demanderiez-vous de vos soldats une obéissance absolue et aveugle ou de l'initiative?

Pardonneriez-vous un cas de désobéissance, s'il était évident que les ordres que vous aviez donnés n'étaient pas bons?

3. Lequel, à votre avis, est le meilleur soldat: celui qui est parfaitement discipliné et qui obéit automatiquement, même si cela doit le faire mourir inutilement, ou celui qui est peu discipliné, mais courageux et intelligent?

EXERCICES

1. Trouvez dans la colonne II les mots et les expressions qui sont le contraire de ceux de la colonne I:

I	II
satisfait	fermé
sortir	malhonnête
propre	indifférent
honnête	se souvenir (de)
souriant	ville
ouvert	incertitude
dévoué	mécontent
campagne	rentrer
assurance	renfrogné
oublier	sale

2. Écrivez une suite au conte: Mélanie, moins discrète que sa maîtresse ne pense, raconte à une amie une dispute entre Mme Martinot et son mari qu'elle a entendue dernièrement en écoutant aux portes.

3. Composez un proverbe français, basé sur ce conte, pour dire qu'une servante honnête n'est pas nécessairement intelligente.

4. Mme Martinot, qui a aussi une cuisinière et un chauffeur-jardinier, décide qu'elle ne peut pas continuer à avoir une femme de chambre. Elle donne une lettre de recommandation à Mélanie pour qu'elle puisse se trouver une autre place. Écrivez cette lettre de recommandation.

32. *La prudence est la mère de la santé*[1]

Au cours de sa promenade habituelle, après le déjeuner, Roger rencontre par hasard, au coin d'une rue, un vieil ami d'école qu'il n'a pas vu depuis longtemps. Il le reconnaît à peine, tant il a mauvaise mine. Les deux anciens camarades se
5 serrent la main avec beaucoup de plaisir.

—Mon vieux Lucien, remarque Roger avec tact, j'ai eu du mal à te reconnaître. Tes lunettes et ta petite moustache . . .

—N'aie pas peur de me dire que j'ai l'air malade, interrompt Lucien. Je le sais. J'ai l'estomac et tout le système détraqués à
10 force de prendre tous les médicaments que m'ont prescrits les médecins!

—Mon pauvre ami! Si tu adoptais ma méthode, je crois que tout s'arrangerait et que tu retrouverais bientôt ta bonne santé d'autrefois!

[1] Ce titre est inspiré d'un vieux proverbe français: *La prudence est la mère de la sûreté.*

—Est-ce que tu n'as jamais été malade? ₁₅
—Non, du moins je ne m'en souviens pas.
—Tu peux dire que tu as eu de la chance!
—Ce n'est pas seulement la chance. C'est surtout ma méthode.
Je vais te l'expliquer. Quand je ne me sens pas dans mon assiette, je consulte plusieurs médecins. Il faut bien que les méde- ₂₀
cins vivent, n'est-ce pas? Je vais ensuite à la pharmacie faire
préparer leurs ordonnances. Naturellement, il faut que les
pharmaciens vivent aussi. Je retourne alors à la maison avec les
médicaments. Mais, contrairement à ce que tu fais, moi, je ne
les prends pas . . . ₂₅
—Tu ne les prends pas? interrompt Lucien, au comble de
l'étonnement. C'est inouï! Pourquoi?
—Parce qu'il faut que moi aussi je vive, n'est-ce pas? répond
Roger philosophiquement.

avoir mauvaise mine to look bad. —**détraqué** out of order. —**à force
de** by dint of. —**médicament** *m.* medicine. —**je ne me sens pas dans
mon assiette** I don't feel well. —**ordonnance** *f.* prescription. —**au
comble de** at the height of. —**inouï,** unheard of.

QUESTIONNAIRE

1. Quand Roger a-t-il l'habitude de faire une promenade?
2. Qui Roger rencontre-t-il?
3. Pourquoi Roger reconnaît-il à peine Lucien?
4. Que font les deux anciens camarades avec beaucoup de plaisir?
5. Lucien sait-il qu'il a l'air malade?
6. Pourquoi Lucien a-t-il tout le système détraqué?
7. Quel conseil Roger donne-t-il à Lucien?
8. Est-ce que Roger a souvent été malade?
9. Que fait Roger quand il ne se sent pas dans son assiette?
10. Pourquoi consulte-t-il plusieurs médecins au lieu d'un seul?
11. Que fait Roger à la pharmacie?
12. Où Roger s'en va-t-il avec les médicaments?
13. Quelle remarque de Roger étonne Lucien?
14. Pourquoi Roger agit-il ainsi?

DISCUSSION

1. Ce conte suit une vieille tradition française: celle de la satire des
médecins. Connaissez-vous les comédies de Molière sur les médecins,

ou celle de l'écrivain contemporain Romains sur le même sujet?

2. Avez-vous de la sympathie pour Lucien? Serait-il par hasard hypocondriaque? S'il avait une bonne santé autrefois, pourquoi avait-il demandé aux médecins les médicaments qui ont détraqué son système?

3. La méthode de Roger est-elle pratique? Ne serait-elle pas coûteuse (*expensive*)? Aurait-elle une valeur psychologique quelconque?

4. Quelle distinction Roger paraît-il faire entre «être malade» et «ne pas se sentir dans son assiette»? Cette distinction existe-t-elle véritablement?

EXERCICES

1. Trouvez dans le conte les synonymes des expressions ou des mots suivants: (a) je parais . . . , (b) je ne suis pas bien . . . , (c) un certain nombre de . . . , (d) une chose dont je n'ai jamais entendu parler . . . , (e) tout irait bien . . . , (f) ne crains pas . . . , (g) dérangé . . . , (h) je ne me le rappelle pas . . . , (i) au croisement de deux rues . . . , (j) chez moi . . .

2. Écrivez une petite scène: «Roger chez le pharmacien.» (Il montre les ordonnances de cinq médecins, chacun indiquant un médicament différent. Étonnement du pharmacien, etc.)

3. Écrivez un dialogue entre Lucien et le docteur Gentère. Ils discutent la mort récente de Roger, qui, atteint de pneumonie, n'a pas fait venir le médecin à temps.

Troisième Partie

33. *Le dernier avertissement*

Mme Rivière n'a qu'un enfant, Georges, et c'est pourquoi elle en est folle. Elle l'aime à un tel point que son mari en est devenu presque jaloux. Naturellement, quand M. Rivière gronde Georges, sa femme prend tout de suite parti pour l'enfant. Georges a toujours raison; M. Rivière a toujours tort. Certes,un 5 enfant aussi adorable est incapable de faire une mauvaise action ou même de désobéir intentionnellement! De cette façon, Georges a été élevé dans du coton. Sa mère a toujours veillé sur lui comme une poule veille sur ses poussins. Elle ne le laisse jouer à la maison ou dans la rue qu'avec des petits garçons ou 10 des petites filles plus jeunes que lui.

Hélas! Georges vient d'avoir six ans, et il faut qu'il aille à l'école primaire. Mme Rivière en est effrayée. «Que va devenir mon petit Georges parmi tous ces enfants turbulents, mal élevés ou méchants? Et son maître, sera-t-il gentil pour lui? Le traitera- 15 t-il avec douceur, compréhension et ménagement, comme il convient?» se demande-t-elle souvent avec angoisse.

Que le temps passe vite! Mme Rivière doit déjà envoyer Georges à l'école lundi prochain. «Mon Dieu! Que va-t-il
20 devenir?» Elle est affolée à cette pensée. Tout à coup, une excellente idée lui vient à l'esprit. Vite, elle va trouver l'instituteur dont Georges sera l'élève. Elle lui explique que son enfant est très délicat et d'une grande sensibilité.

—Georges est un enfant très sage, ajoute-t-elle. Il n'est pas
25 turbulent. Je crois qu'il vous écoutera attentivement et qu'il fera ses devoirs consciencieusement. Cependant, si jamais vous avez une observation à lui faire, veuillez lui parler avec ménagement. Rappelez-vous qu'il est très sensible. Enfin, au cas où il n'en tiendrait pas compte, vous pourriez alors donner une
30 gifle à son voisin: Georges aura peur, et je suis sûre qu'il se conduira bien, après ce dernier avertissement!

avertissement *m.* warning. —**jaloux** jealous. —**gronder** to scold. — **prendre parti pour** to side with. —**poule** *f.* hen. —**poussin** *m.* chick. —**ménagement** *m.* consideration. —**affolé** frantic. —**sensibilité** *f.* sensitiveness. —**sensible** sensitive.

QUESTIONNAIRE

1. Pourquoi Mme Rivière est-elle folle de son enfant?
2. Jusqu'à quel point Mme Rivière aime-t-elle Georges?
3. Qu'est-ce qui arrive quand M. Rivière gronde Georges?
4. Dans les discussions entre père et fils, qui a toujours tort?
5. De quoi un enfant si adorable est-il incapable?
6. Comment sa mère a-t-elle toujours veillé sur lui?
7. Avec quels enfants l'a-t-on laissé jouer?
8. Que faut-il que Georges fasse, maintenant qu'il a six ans?
9. Pourquoi Mme Rivière est-elle effrayée?
10. Que se demande-t-elle souvent avec angoisse?
11. Quel jour Mme Rivière doit-elle envoyer Georges à l'école?
12. Qu'est-ce qui vient à l'esprit de Mme Rivière?
13. Que fera Georges consciencieusement, selon sa mère?
14. Comment veut-elle que le maître parle à Georges?
15. Quelle punition (*punishment*) le maître doit-il donner comme avertissement?
16. A qui doit-il la donner?

DISCUSSION

1. Les rapports entre les parents de Georges sont-ils bons ou mauvais? Cela expliquerait-il l'attitude de Mme Rivière à l'égard de son
fils?

2. Croyez-vous que Georges était vraiment délicat et sensible? Une
éducation, telle que celle qu'il avait eue jusque là, rendrait-elle un
enfant sensible, ou plutôt égoïste?

3. Trouvez-vous que ce que Mme Rivière faisait était un bon ou
un mauvais moyen d'attirer sur Georges la sympathie de l'instituteur?

EXERCICES

1. Trouvez dans le texte les mots dont voici la définition: (a)
facilement ému ou touché . . . , (b) fâché parce que quelqu'un d'autre
est mieux aimé que vous . . . , (c) parler sévèrement à quelqu'un qui
a commis une faute . . . , (d) exercer une surveillance . . . , (e) ne
pas faire ce qu'on vous a dit de faire . . .

2. Trouvez la fin qui convient à chaque phrase:

(a) Quand M. Rivière
gronde Georges, sa femme
- lui jette une casserole à la tête.
- a une crise de larmes.
- défend toujours l'enfant.

(b) Il faut que Georges aille
- à l'école primaire.
- au lycée.
- à l'école maternelle.

(c) Mme Rivière explique
à l'instituteur que Georges
- a beaucoup de sensibilité.
- a une intelligence remarquable.
- n'est qu'un crétin.

(d) Le maître doit parler à Georges
- avec humilité.
- sans trop de sévérité.
- brutalement.

(e) Si Georges est méchant,
le maître doit
- lui demander pardon.
- le gronder délicatement.
- frapper son voisin.

3. Finissez ce conte en écrivant deux petites scènes: (1) le maître
répond à Mme Rivière; (2) Georges, à l'école, ne se montre ni délicat
ni sage.

4. Cinq ans plus tard, M. Rivière écrit à une école privée pour
enfants arriérés (*backward children*) demandant au directeur d'y admettre Georges. Écrivez sa lettre.

34. La double leçon de politesse

La scène se passe à Paris, dans une voiture de deuxième classe du métro. C'est un peu après la fermeture des grands magasins et, de ce fait, elle est bondée de voyageurs. Un homme d'un certain âge est debout à côté d'une femme corpulente, portant un panier plein de provisions, et qui a beaucoup de mal à garder son équilibre sous la poussée des voyageurs. Un gros garçon d'une quinzaine d'années, plein de santé et de vigueur, est assis devant elle, bien à l'aise et complètement indifférent.

Le vieux monsieur fixe sur le garçon un regard sévère qui semble dire: «N'avez-vous pas honte de rester assis pendant que cette pauvre femme peut à peine se tenir debout?» Mais celui-ci n'a pas l'air de vouloir comprendre. Indigné, le vieux monsieur lui adresse alors la parole: «Je vous donne deux francs pour votre place.» Le garçon se lève aussitôt, sans mot dire, et prend la pièce qui lui est offerte. Cependant, le vieux monsieur ne s'assied pas.

—Madame, dit-il à sa voisine, voici une place libre, vous pouvez vous asseoir.

—Oh! non, monsieur, vous êtes trop aimable! Prenez-la vous-même, puisque vous avez donné deux francs pour l'avoir, ré- *20* pond la femme corpulente.

—Je vous assure, madame, que je ne désire pas m'asseoir. Je désire seulement donner une leçon de politesse à ce gros garçon. Je vous en prie, asseyez-vous, la place est maintenant à vous, insiste le gentleman. *25*

La femme s'assied alors, tout en remerciant le vieux monsieur avec effusion. Elle se tourne ensuite vers le jeune garçon. «René,» lui dit-elle d'un ton de reproche, «tu as oublié de dire merci à ce monsieur!» Puis s'adressant à ce dernier:—Vous voyez, monsieur, c'est mon fils. Moi non plus, je ne manque *30* jamais de lui apprendre la politesse quand l'occasion se présente! explique-t-elle avec fierté.

métro (abbr. de **Chemin de Fer Métropolitain**) *m.* subway (Paris). —**fermeture** *f.* closing. —**grand magasin** *m.* department store. —**de ce fait** because of that. —**bondé** packed. —**poussée** *f.* pushing. — **quinzaine** *f.* about fifteen. —**avoir honte** to be ashamed. —**fierté** *f.* pride.

QUESTIONNAIRE

1. Où se passe la scène de ce conte?
2. Pourquoi la voiture est-elle bondée de voyageurs?
3. Qui se trouve à côté de l'homme d'un certain âge?
4. Comment le gros garçon se porte-t-il?
5. Quelle est son attitude?
6. Que semble dire le regard du vieux monsieur?
7. Le gros garçon a-t-il l'air de vouloir comprendre?
8. Combien le vieux monsieur offre-t-il au garçon?
9. Que fait le garçon?
10. Le vieux monsieur s'assied-il?
11. Que dit le vieux monsieur à sa voisine?
12. Pourquoi la femme corpulente ne veut-elle pas s'asseoir?
13. Accepte-t-elle enfin la place?
14. Comment la femme remercie-t-elle le vieux monsieur?
15. Qu'est-ce que René a oublié?
16. Qu'est-ce que la mère de René ne manque jamais de lui donner?

DISCUSSION

1. Voici une autre histoire d'enfant gâté (*spoiled*). Trouvez-vous cette fois qu'il ne s'agit que d'une situation comique ou que l'histoire est vraisemblable (*true to life*)?

2. Comment pouvez-vous expliquer que la mère, qui voulait vraiment que René fût poli, n'ait pas compris qu'il ne devait pas rester assis devant elle? Est-ce que ce serait parce que pour elle René était toujours un tout petit garçon?

3. Connaissez-vous le métro de Paris? En quoi ressemble-t-il et en quoi diffère-t-il des métros de Londres, de New-York, ou de quelque autre ville des États-Unis?

EXERCICES

1. Remarquez que le texte contient le mot *gentleman*. Essayez de le prononcer comme on le prononcerait en France, c'est-à-dire, avec les mêmes sons (à peu près) qu'en anglais, mais avec une intonation française.

2. Trouvez dans le texte les mots ou les expressions qui sont synonymes des mots ou des expressions suivantes: (a) grosse . . . , (b) remplie de . . . , (c) qui n'est pas occupée . . . , (d) se met debout . . . , (e) pour cette raison . . . , (f) wagon . . . , (g) entre deux âges . . . , (h) lui parle . . . , (i) choses à manger . . . , (j) tout de suite . . .

3. Changez le conte ainsi: le garçon refuse de vendre sa place deux francs—il en demande quatre francs—discussion sans amabilité—sa mère intervient—elle accuse le vieux monsieur de vouloir quelque chose pour rien.

4. Faites une liste de phrases utiles à un voyageur étranger qui désirerait prendre le métro.

35. *Le mendiant*

Mme Lebon est charitable. Elle ne peut pas voir un mendiant dans la rue sans lui donner quelques francs. Chez elle, quand un pauvre vient sonner à sa porte, elle trouve toujours dans la glacière une tranche de viande ou de fromage qu'elle lui offre avec un morceau de pain. Mme Lebon a vraiment 5 bon cœur.

Il est presque midi. Un coup de sonnette. Mme Lebon n'attend pas de visite à cette heure. Elle devine que ce doit être un mendiant et va ouvrir la porte. Elle ne s'est pas trompée. Un vieillard, grand et maigre, est là, debout devant elle. Il porte de 10 vieux vêtements usés, mal raccommodés, et des souliers troués. Il tient à la main un chapeau de feutre sans forme et d'une couleur indéfinissable, entre le gris et le vert. Il a de longs cheveux blancs, un front couvert de rides, des yeux tristes et fiévreux, et les joues creuses. Le nez est droit et long, avec de petites taches 15 rouges suspectes. «Il doit boire», pense Mme Lebon, en examinant son visage hâlé par le soleil.

—La charité, ma bonne dame, implore le vieillard, en tendant la main.

20   Sa voix est si plaintive que Mme Lebon ne peut pas s'empêcher d'ouvrir son porte-monnaie.

—Tenez, mon pauvre homme, voici quelques francs, lui dit-elle, en ajoutant aussitôt:—Surtout n'allez pas les dépenser dans le premier café que vous trouverez en route!

25   —Pour sûr que non, madame! Ça, je vous le promets! Je vois, madame, que vous êtes bonne connaisseuse! Vous savez aussi bien que moi qu'il n'y a pas de bon vin dans ce café-là . . . C'est pourquoi j'irai dans le deuxième, où il est bien meilleur! Merci mille fois, ma bonne dame!—et, sur ces mots, le mendiant
30 s'en va, laissant Mme Lebon la bouche bée de stupéfaction.

glacière *f.* ice-box. —**tranche** *f.* slice. —**viande** *f.* meat. —**sonnette** *f.* bell. —**usé,** worn. —**raccommoder,** to mend. —**soulier,** *m.* shoe.— **troué** with a hole (*or* holes) in it. —**feutre** *m.* felt. —**indéfinissable** indefinable. —**ride** *f.* wrinkle. —**fiévreux** feverish. —**creux (creuse)** hollow. —**tache** *f.* spot. —**suspect** suspicious-looking. —**hâlé** tanned. —**dépenser** to spend. —**vous êtes bonne connaisseuse** you are a real authority. —**la bouche bée** mouth agape.

QUESTIONNAIRE

1. Que fait Mme Lebon quand elle voit un mendiant dans la rue?
2. Que donne-t-elle aux pauvres qui sonnent à sa porte?
3. Mme Lebon attend-elle des visites à midi?
4. Qui est à sa porte?
5. Quelle est la taille du vieillard?
6. Quelle sorte de vêtements porte-t-il?
7. Que tient-il à la main?
8. Comment est la figure du mendiant?
9. Qu'est-ce que Mme Lebon voit de suspect sur le nez du vieillard?
10. Que demande le vieillard, en tendant la main?
11. Quel est l'effet de sa voix plaintive?
12. Quelle recommandation Mme Lebon fait-elle au mendiant?
13. Que promet le mendiant?
14. Pourquoi trouve-t-il que Mme Lebon est bonne connaisseuse?
15. Que se décide-t-il à faire?
16. Comment le mendiant laisse-t-il Mme Lebon?
17. L'a-t-il remerciée froidement?

DISCUSSION

1. L'effet comique de ce conte vient du fait qu'il y a deux interprétations possibles du sens des mots «premier café». Expliquez ces deux interprétations.

2. Laquelle des dernières remarques du mendiant ajoute le plus à l'effet comique?

3. Trouvez-vous que Mme Lebon a bien fait de donner de l'argent au mendiant? Aurait-elle dû lui donner à manger et ensuite le faire travailler?

4. Pensez-vous qu'on devrait être charitable à l'égard de ceux qui ne le méritent vraiment pas?

EXERCICES

1. Le propriétaire du premier café écrit une lettre à Mme Lebon pour protester que sa mauvaise opinion du vin servi dans son café n'est pas justifiée. Écrivez sa lettre.

2. Continuez le conte ainsi: le mendiant va ensuite chez Mme Lapie, qui est désagréable et qui n'aime pas les mendiants. Racontez ce qui se passe.

3. Faites des phrases en employant les expressions suivantes: (a) ce doit être . . . , (b) aussi bien que . . . , (c) à la main . . . , (d) mal raccommodé . . . , (e) en route . . .

4. Trouvez dans le texte les mots dont voici la définition: (a) qu'on ne peut pas définir . . . , (b) employer de l'argent pour acheter quelque chose . . . , (c) quelqu'un qui se connaît à quelque chose . . . , (d) prédire, juger par conjecture . . . , (e) marque salissante . . .

36. Le bon conseil

Al'occasion du vingtième anniversaire de sa fille, Mme
Lenoble, la veuve d'un riche banquier parisien, va donner
ce soir une grande réception dans son magnifique hôtel de l'avenue Foch. Il y aura au moins une quarantaine de personnes:
5 oncles, tantes, cousins, cousines, neveux, nièces, amis et con-
naissances. Comme ses quatre domestiques habituels, le valet,
la femme de chambre, la bonne et la cuisinière seraient insuffi-
sants, elle a demandé à une agence de lui envoyer une aide-
cuisinière et une femme de chambre extra qui aidera à servir
10 les rafraîchissements.

Mme Lenoble s'assure que tout est bien prêt dans la salle à
manger. Les plats de pâtisserie variée sont disposés avec bon
goût sur la grande table. Les bouteilles de champagne sont dans
des seaux pleins de glace, et celles de liqueurs fines sont alignées
15 sur le buffet, à côté des verres de cristal de toutes formes et
dimensions.

Mme Lenoble jette ensuite un coup d'œil dans les salons. Sa
fille n'a pas oublié d'arranger les bouquets de fleurs fraîches dans
les superbes vases anciens. Tout est parfait. Maintenant, Mme

Lenoble n'a plus qu'à donner ses dernières instructions à la 20 femme de chambre extra sur la façon de servir les rafraîchissements. Elle l'appelle. C'est une jeune femme avenante, habillée tout en noir, avec un joli petit tablier de dentelle. Malheureusement, comme le remarque aussitôt Mme Lenoble, ses imposantes boucles d'oreille, son collier de fausses perles et ses énormes 25 bagues sont de mauvais goût, et elle a en outre à chaque poignet plusieurs bracelets de cuivre qui achèvent de lui donner l'aspect d'une diseuse de bonne aventure. Toutefois, ceci peut facilement s'arranger.

—Joséphine, il vaut mieux que vous ne portiez pas de bijoux 30 quand vous servirez les rafraîchissements aux invités, lui dit Mme Lenoble avec tact.

—Oh! rassurez-vous, madame! Mes bijoux n'ont guère de valeur. J'y tiens, cependant, et je vous remercie de m'avertir. Je vais suivre votre bon conseil! répond la femme de chambre, 35 le plus naïvement du monde, à la stupéfaction de Mme Lenoble.

anniversaire *m.* birthday. —**veuve** *f.* widow. —**quarantaine** *f.* about forty. —**tante** *f.* aunt. —**neveu** *m.* nephew. —**bonne** *f.* maid. — **cuisinière** *f.* cook. —**rafraîchissements** *m. pl.* refreshments. —**pâtisserie** *f.* pastry. —**bouteille** *f.* bottle. —**seau** *m.* bucket. —**liqueur** *f.* liquor, cordial. —**buffet** *m.* sideboard. —**cristal** *m.* crystal, cutglass. —**avenant** pleasing, attractive, prepossessing. —**tablier** *m.* apron. —**dentelle** *f.* lace. —**boucle d'oreille** *f.* earring. —**collier** *m.* necklace. —**bague** *f.* ring. —**poignet** *m.* wrist. —**cuivre** *m.* brass, copper. —**diseuse de bonne aventure** *f.* fortune-teller. —**bijou** *m.* jewel.

QUESTIONNAIRE

1. Qui est Mme Lenoble?
2. A quelle occasion donne-t-elle une réception?
3. Où habite-t-elle?
4. Qui va être invité à la réception?
5. Combien de domestiques Mme Lenoble a-t-elle?
6. Que demande-t-elle à l'agence?
7. Quel sera le travail de la femme de chambre extra?
8. De quoi Mme Lenoble s'assure-t-elle?
9. Qu'a-t-on fait pour que le champagne soit frais?
10. Où a-t-on mis les verres de cristal?

11. Qu'est-ce que Mlle Lenoble a arrangé dans les salons?
12. Comment Joséphine est-elle habillée?
13. Quels bijoux a-t-elle mis?
14. De quoi ces bijoux lui donnent-ils l'air?
15. Est-ce que Joséphine tenait à ses bijoux à cause de leur valeur?
16. Joséphine allait-elle enlever ses bijoux?

DISCUSSION

1. Expliquez le sens que le mot *hôtel* a dans ce conte. Que signifie encore le mot *hôtel?*
2. Aimez-vous le champagne, les liqueurs? Les vins français sont-ils renommés? Avez-vous déjà goûté des liqueurs françaises? Lesquelles? Quelle boisson préférez-vous?
3. Consultez un plan de Paris et dites où se trouve le Bois de Boulogne. Ce quartier est-il habité par des ouvriers? Quels quartiers trouve-t-on toujours dans les grandes villes?
4. Pourquoi est-ce que Joséphine pensait que Mme Lenoble lui avait donné un bon conseil? Quelle opinion avait-elle des invités? Trouvez-vous son attitude vraisemblable?

EXERCICES

1. Trouvez la fin qui convient à chaque phrase:

(a) Mme Lenoble va inviter {
seulement ses parents.
tous les banquiers de Paris.
environ quarante personnes.
}

(b) Mme Lenoble trouve que {
quatre domestiques ne suffisent pas.
ses domestiques sont trop maladroits.
la cuisinière ne sait pas bien servir.
}

(c) Les bouteilles de champagne {
ont été bien chambrées.
sont cachées dans la cave.
sont glacées.
}

(d) Joséphine porte une robe noire {
et un petit tablier.
et des gants.
très décolletée.
}

(e) Joséphine croit que ses bijoux {
sont tous faux.
ne valent pas grand'chose.
lui portent bonheur.
}

2. Vous êtes le reporter mondain (*society*) d'un grand journal de Paris. Écrivez un article sur la réception de Mme Lenoble. (Style approprié.)

3. Vous êtes reporter du journal communiste *L'Humanité*. Écrivez un article satirique sur la réception.

4. Continuez le conte ainsi: Les invités de Mme Lenoble arrivent. Un vieil oncle de Mme Lenoble boit trop de champagne et de liqueurs. Il fait la cour (*flirts with*) à Joséphine. Sa femme intervient.

37. Le chien et le perroquet

Du haut de son perchoir, Coco, le perroquet, fixe un regard immobile et dédaigneux sur Riquet, le fox-terrier. Couché sur le tapis, près de la cheminée, Riquet sent confusément l'hostilité du perroquet. Il sait que Coco est jaloux de lui depuis le
5 jour de son arrivée dans l'appartement, il y a à peine deux mois. Coco se considère maintenant comme un roi détrôné, et il en veut à Riquet de partager avec lui l'affection et les soins de sa vieille maîtresse. L'orage, qui s'est accumulé pendant plusieurs semaines, éclate soudain.

10 —Pauvre chien! dit Coco d'une voix pleine de mépris. Tu te crois important dans la maison parce que *ma* maîtresse ne te laisse pas mourir de faim et te donne parfois une caresse! Pour moi, tu n'es toutefois rien de plus qu'un chien vulgaire, un chien ignorant comme tous les autres de ton espèce!

15 —Comment? Tu oses me traiter d'ignorant! s'exclame Riquet, en se dressant d'un bond. Je porte le panier de provisions de *notre* maîtresse . . . Je vais lui chercher son journal au kiosque

à journaux . . . J'aboie quand un étranger s'approche de la porte . . . Je . . .

—Pauvre chien! interrompt le perroquet d'un ton sarcastique. 20 Tout ça n'est rien!

—Comment, rien? réplique Riquet indigné. Je sais faire le beau et marcher sur les pattes de derrière tout autour du salon . . . Je sais grimper à une échelle . . . Je sais sauter pardessus la table . . . Quand notre maîtresse me commande de 25 faire le mort, je me couche, je ne bouge plus, et j'ai l'air d'un chien empaillé.

—Tout ça n'est rien! répète Coco avec plus de mépris que jamais.

—Et toi, que sais-tu donc faire? lui demande Riquet, en lui 30 montrant les dents.

—Moi, je sais parler! répond le perroquet tout gonflé d'orgueil.

Eh bien, qu'est-ce que je suis en train de faire depuis dix minutes? hurle Riquet, au comble de la colère. Est-ce que je ne 35 suis pas en train de parler, moi aussi?

perroquet *m.* parrot. —**perchoir** *m.* perch. —**dédaigneux** disdainful. —**orage** *m.* thunderstorm. —**bond** *m.* leap, jump. —**aboyer** to bark. —**faire le beau** to sit up (on hind legs, with forelegs in the air— of a dog). —**pattes de derrière** hind legs. —**grimper** to climb. — **échelle** *f.* ladder. —**faire le mort** to play dead dog, lie down (of a dog). —**bouger** to budge. —**empaillé** stuffed. —**gonfler** to swell, inflate. —**hurler** to howl, yell.

QUESTIONNAIRE

1. Où se trouve Coco, le perroquet?
2. Comment regarde-t-il Riquet?
3. Qu'est-ce que Riquet sent confusément?
4. Que sait-il?
5. Comment Coco se considère-t-il?
6. Pourquoi en veut-il à Riquet?
7. Qu'est-ce qui éclate soudain?
8. Pourquoi, selon Coco, Riquet se croit-il important?
9. Quelle est l'opinion de Coco à l'égard de Riquet?
10. Qu'est-ce que Riquet porte pour sa maîtresse?

11. Où va-t-il chercher le journal?
12. Que fait le chien quand un étranger s'approche de la porte?
13. Comment Riquet sait-il marcher?
14. A quoi Riquet sait-il grimper?
15. Que fait-il quand sa maîtresse lui commande de faire le mort?
16. Quel est le talent spécial de Coco?
17. Pourquoi Riquet ne trouve-t-il pas cela si remarquable?

DISCUSSION

1. Ce conte est un bon exemple de l'espèce d'humour qu'on appelle en anglais *nonsense*. Pouvez-vous expliquer ce qu'il y a d'amusant dans cette histoire. (Montrez comment un usage littéraire—les animaux parlent—est rendu absurde par un emploi trop concret.)

2. Les animaux domestiques peuvent-ils être jaloux les uns des autres? Un perroquet pourrait-il être jaloux?

3. Un perroquet parle-t-il vraiment, c'est-à-dire, exprime-t-il sa pensée par des sons articulés? Ne fait-il, au contraire, qu'imiter des sons quelconques?

4. Riquet est-il un fox-terrier extraordinairement bien dressé (*trained*)?

5. En quoi ce conte ressemble-t-il aux fables telles que celles d'Ésope ou de La Fontaine? En quoi diffère-t-il de ces fables?

EXERCICES

1. Trouvez dans le texte les mots dont voici la définition : (a) bâton sur lequel perche un oiseau . . . , (b) ustensile portatif dans lequel on met des provisions, des marchandises . . . , (c) rempli de paille . . . , (d) oiseau des tropiques qui imite la voix humaine . . . , (e) irritation quand on se croit offensé . . . , (f) avoir le courage de . . . , (g) pied et jambe d'un quadrupède . . . , (h) façon particulière de s'exprimer . . .

2. Écrivez un dialogue entre Coco, le perroquet, et sa maîtresse, interrompu tout d'un coup par des aboiements ou des paroles de Riquet.

3. Décrivez une soirée chez la maîtresse de Coco et de Riquet. Les deux animaux se mettent à parler. Consternation des invités. (Cf. le conte *Tobermory* de H. H. Munro.)

38. Le manteau de fourrure

Mademoiselle Paulette est sans aucun doute la meilleure
vendeuse des Nouvelles Galeries. Elle a beaucoup de bon
sens et de perspicacité. Elle trouve, au moment opportun, les
arguments décisifs qui décident les clientes à acheter. De plus,
elle est toujours aimable, et sa patience est sans limite. Depuis 5
qu'elle le dirige, le rayon des manteaux est devenu le plus important du grand magasin de nouveautés.

Les affaires ont été particulièrement bonnes aujourd'hui. La
journée est presque terminée. Une dame, qui a certainement plus
de quarante ans, est en train d'essayer un superbe manteau de 10
fourrure devant un grand miroir. Mlle Paulette s'occupe d'elle.
Elle sait exactement ce qu'il faut dire à sa cliente pour la décider
à acheter le manteau. Elle est convaincue qu'elle va faire la
vente.

—On dirait que ce manteau a été fait sur mesure pour vous, 15
madame. Il vous va à merveille. Voyez comme il accentue votre
taille fine, et comme votre ligne est élégante! Vraiment, madame,
il vous rajeunit de dix ans au moins! remarque-t-elle d'un ton
persuasif.

20   —Dans ces conditions, gardez votre manteau, mademoiselle!
Vous comprendrez bien que je ne veux pas paraître plus vieille
de dix ans, chaque fois que je l'ôterai! s'écrie la dame qui s'en va,
en laissant Mlle Paulette au comble de l'étonnement.

vendeuse *f.* saleswoman. —**Nouvelles Galeries** a large department
store (one of a chain located in large French provincial cities). —
rayon *m.* counter, department (of a store). —**grand magasin de nouveautés** department store specializing in women's wear. —**fourrure** *f.*
fur. —**vente** *f.* sale. —**fait sur mesure** made to order. —**rajeunir** to
make one look younger.

QUESTIONNAIRE

1. Qui est la meilleure vendeuse des Nouvelles Galeries?
2. Que trouve Mlle Paulette au moment opportun?
3. Quelle qualité possède-t-elle au plus haut degré?
4. Quel rayon Mlle Paulette dirige-t-elle?
5. A quelle heure se passe cette scène?
6. Quel est l'âge de la dame qui essaye un manteau de fourrure?
7. Où essaye-t-elle le manteau?
8. Qu'est-ce que Mlle Paulette **sait** exactement faire?
9. De quoi est-elle convaincue?
10. Mlle Paulette trouve-t-elle que le manteau a besoin d'être retouché
    pour convenir à (*suit*) la dame?
11. En quels termes la vendeuse parle-t-elle du manteau et flatte-
    t-elle la dame?
12. Quel est l'argument décisif de Mlle Paulette?
13. Pourquoi la dame dit-elle qu'elle ne veut pas le manteau?

DISCUSSION

1. Mlle Paulette était bonne vendeuse, mais elle ne réussissait pas
toujours, comme le démontre ce conte. Pourquoi a-t-elle échoué cette
fois?

2. Croyez-vous qu'il s'agissait d'une cliente difficile et intelligente,
dégoûtée par trop d'exagération?

3. Mlle Paulette a-t-elle manqué de tact? Quand on dit à une femme
qu'un manteau la rajeunit, ne laisse-t-on pas sous-entendre qu'elle a
besoin d'être rajeunie? Une femme aimerait-elle cette dernière suggestion?

4. Comparez la maladresse de Mlle Paulette au «bel exemple de
tact» rapporté dans le conte 15. Quelle est la grande faute de tact

qu'il ne faut jamais (au grand jamais!) commettre en parlant à une femme vaniteuse (ou même à n'importe quelle femme)?

EXERCICES

1. Trouvez la fin qui convient à chaque phrase:

(a) Mlle Paulette trouve les arguments décisifs
{
après le départ de la cliente.
longtemps à l'avance.
juste quand il le faut.
}

(b) Une dame est en train d'essayer
{
un beau manteau de vison.
un pardessus croisé à carreaux.
une jaquette de demi-saison.
}

(c) Mlle Paulette est convaincue que la dame
{
finira par prendre le manteau.
a une allure élégante.
est rajeunie de dix ans.
}

(d) La dame ne veut pas paraître
{
rajeunie de dix ans.
moins jeune en enlevant son manteau.
avoir une taille accentuée.
}

(e) Mlle Paulette reste
{
à grommeler des grossièretés.
évanouie de dépit.
bouche bée de surprise.
}

2. Trouvez dans le texte les mots et les expressions qui sont synonymes des expressions et des mots suivants: (a) parfaitement bien . . ., (b) je l'enlèverai . . ., (c) une grande glace . . ., (d) le plus important . . ., (e) certainement . . ., (f) rend plus jeune . . ., (g) magnifique . . ., (h) corps svelte . . .

3. Comment Mlle Paulette aurait-elle pu modifier sa phrase «il vous rajeunit de dix ans au moins» pour éviter de blesser la dame susceptible? Écrivez une nouvelle version dans laquelle Mlle Paulette fait la vente en employant plus de tact.

4. Imaginez que vous êtes vendeur de manteaux de fourrure. Écrivez ce que vous répondriez si une cliente vous demandait quelles sortes de manteaux vous avez. Cherchez dans un dictionnaire français, ou dans une encyclopédie, les noms des fourrures.

39. *Il y a progrès*

La nouvelle année scolaire commence, et Albert Lefèvre retourne à l'école sans grand enthousiasme. Albert est un gros garçon d'une douzaine d'années, assez intelligent mais indolent et paresseux. Il aime à s'amuser, et va au cinéma au moins deux fois par semaine. Pendant les vacances, il n'a manqué aucun nouveau film; par contre, il n'a pas ouvert un seul livre de texte. Il a ainsi beaucoup oublié, et a de la peine à suivre la classe. Le trente et un octobre, son père l'appelle comme il a l'habitude de le faire à la fin de chaque mois d'école.

—Albert, sais-tu quelle est ta place dans la classe? lui demande-t-il.

—Je suis le vingt-neuvième, papa, répond Albert assez gêné.

—Combien d'élèves êtes-vous?

—Nous sommes vingt-neuf élèves.

—Comment! Vous êtes vingt-neuf en tout et tu es le vingt-neuvième! s'écrie le père indigné. A ton âge, je n'étais ni le premier ni le deuxième, mais je n'ai jamais été le dernier élève de ma classe! J'espère que tu auras une meilleure place le mois prochain, sinon gare!

La fin de novembre arrive, et M. Lefèvre pose la même ques- 20 tion à son fils:—Eh bien, Albert, quelle place as-tu, maintenant?

—Je suis le trente et unième, ose à peine dire Albert.

—Qu'est-ce que tu me racontes? s'exclame son père. Comment peux-tu être le trente et unième, quand il n'y a que vingt-neuf élèves dans ta classe? 25

—Il y a deux nouveaux écoliers, explique Albert en rougissant.

N'as-tu pas honte? Je te préviens que tu n'auras rien pour le Nouvel An[1] et que tu seras privé de cinéma, si tu ne travailles pas mieux d'ici à Noël! 30

Les jours passent. Albert a beau essayer, il ne fait pas de progrès: il a trop de retard dans son travail. C'est pourquoi il a peur de regarder son père en face, quand celui-ci lui demande sèchement:—Quelle est ta place, à présent?

—Je suis le vingt-septième, répond Albert à voix basse. 35

—Tant mieux! Heureusement pour toi! remarque M. Lefèvre avec une note de satisfaction dans la voix. Il y a progrès!

—Pas exactement, papa, interrompt Albert, tout rouge. Vois-tu, quatre élèves ont quitté l'école, et nous ne sommes plus que vingt-sept . . . 40

paresseux lazy. —**livre de texte** *m.* textbook. —**garc**! watch out! — **écolier** *m.* school-boy, pupil. —**priver** to deprive. —**d'ici à Noël** between now and Christmas. —**avoir du retard** to be behind. —**faire face à** to face.

QUESTIONNAIRE

1. Albert Lefèvre retourne-t-il à l'école avec plaisir?
2. Quel âge a Albert?
3. Quel est son caractère?
4. Jusqu'à quel point aime-t-il le cinéma?

---

[1]. En France, on offre généralement des cadeaux, ou étrennes, le premier janvier au lieu du jour de Noël.

5. Pendant les vacances, combien de fois Albert a-t-il ouvert ses livres de texte?
6. Quel est le résultat de la façon dont il a passé ses vacances?
7. Quelle est l'habitude du père d'Albert à la fin de chaque mois d'école?
8. Pourquoi Albert est-il gêné, quand il dit à son père qu'il est le vingt-neuvième de la classe?
9. Quelle place le père d'Albert avait-il eue dans sa jeunesse?
10. Quelle place Albert a-t-il à la fin de novembre?
11. Combien y a-t-il de nouveaux écoliers?
12. Quelle menace le père fait-il?
13. Pourquoi M. Lefèvre pense-t-il qu'il y a progrès?
14. Pourquoi Albert est-il maintenant le vingt-septième de sa classe?
15. Est-ce juste de dire qu'Albert a fait des progrès?

DISCUSSION

1. Trouvez-vous qu'il était juste de punir Albert parce qu'il était le dernier de sa classe?
2. Croyez-vous que la plupart des autres élèves ont étudié pendant leurs vacances?
3. Quand un élève est constamment le dernier de sa classe, ne pensez-vous pas qu'il y a d'autres causes que son indolence et sa paresse?
4. Est-il possible de juger exactement de la valeur des élèves? Quelle méthode peut-on employer à cet effet?
5. Quel est le but de l'éducation? Remporter (*to win*) des prix et être premier de sa classe? s'instruire? devenir riche? devenir un bon citoyen?

EXERCICES

1. Faites des phrases en employant les expressions suivantes: (a) avoir de la peine à . . . , (b) avoir du retard . . . , (c) d'ici Noël . . . , (d) regarder quelqu'un en face . . . , (e) par contre . . .
2. Continuez le conte ainsi: Au mois de janvier on met Albert dans une petite classe spéciale pour enfants arriérés (*backward children*). En comptant Albert, il y a dix élèves dans cette classe. Racontez ce qui arrive quand le père d'Albert le questionne à la fin des mois de janvier et de février.
3. M. Lefèvre amène Albert chez un psychiâtre afin d'essayer de savoir pourquoi son fils ne travaille pas mieux à l'école. Racontez ce qui se passe. (*Suggestions*: (1) Le psychiâtre fait passer (*gives*) un examen psychologique à Albert, ou (2) le psychiâtre l'hypnotise, ou (3) le psychiâtre lui dit de se coucher sur un divan et lui fait raconter ses rêves.)

40. La réponse du témoin

La salle d'audience du tribunal est pleine de monde. On est en train de juger une affaire assez importante. Un automobiliste, qui allait à plus de soixante-dix kilomètres à l'heure à l'entrée d'un village, n'a pas pu s'arrêter à temps, et a renversé une vieille femme. La malheureuse victime a échappé à la mort *5* par miracle, mais elle a été grièvement blessée. Théophile Mangeot, un garçon de ferme qui travaillait dans les champs à ce moment-là, a vu comment l'accident s'est produit. C'est le seul témoin, et, naturellement, il en est fier. Du jour au lendemain, il est devenu un personnage important dans le village. *10* Il a dû raconter au moins vingt fois tous les détails de l'accident aux habitants du village et aux journalistes. Fait étrange: chaque fois, son récit devenait plus dramatique et plus long.

A présent, dans la grande salle du tribunal de la ville voisine, Théophile Mangeot est prêt à parler officiellement. Il suit avec *15* attention les débats de l'affaire, bien qu'il ne comprenne pas la plupart des termes légaux qu'emploient les avocats. Peu à peu,

cependant, il devient inquiet. Il commence à avoir peur de parler devant des hommes si intelligents et si habiles. Comme il
20 voudrait être aux champs!

—«Théophile Mangeot!» Il entend tout à coup une voix prononcer son nom. Il se lève, le cœur battant, et s'avance.

—Vous vous appelez Théophile Mangeot, n'est-ce pas? lui demande le juge d'une voix brève.

25 —Oui, monsieur le juge, répond notre malheureux garçon.

—Je vous rappelle que vous allez parler sous la foi du serment et que vous ne devez dire que la vérité, rien que la vérité. Dites-nous maintenant tout ce que vous savez! lui commande solennellement le juge.

30 «Quelle drôle de question!» pense Théophile, qui s'attendait à ce qu'on lui demandât ce qu'il avait *vu*.

—Eh bien, monsieur le juge, commence-t-il, la gorge sèche, je sais lire et écrire, quoique je fasse pas mal de fautes d'orthographe; mais je dois vous avouer, pour dire toute la vérité, que
35 je ne sais pas bien compter.

---

témoin *m.* witness. —**salle d'audience du tribunal** *f.* courtroom. —**grièvement** gravely. —**du jour au lendemain** in a very short time (**lit.** from one day to the next). —**débat** *m.* discussion. —**avocat** *m.* lawyer. —**sous la foi du serment** under oath. —**solennellement** solemnly. —**drôle de** funny. —**orthographe** *f.* spelling.

QUESTIONNAIRE

1. Pourquoi la salle d'audience du tribunal est-elle pleine de monde?
2. A quelle vitesse allait l'automobiliste?
3. Quel accident l'automobiliste a-t-il causé?
4. Qu'est-ce qui est arrivé à la malheureuse victime?
5. Qui est le seul témoin?
6. Que faisait Théophile Mangeot au moment de l'accident?
7. Que devient Théophile Mangeot du jour au lendemain?
8. A qui doit-il raconter tous les détails vingt fois?
9. Qu'arrive-t-il chaque fois qu'il raconte son histoire?
10. Pourquoi Mangeot doit-il aller à la ville voisine?
11. Que suit-il avec attention?
12. Qu'est-ce qu'il ne comprend pas?
13. Pourquoi devient-il peu à peu inquiet?

14. Où voudrait-il aller?
15. Que lui demande le juge sous la foi du serment?
16. A quoi Théophile s'attendait-il?
17. Que sait-il?
18. Que ne sait-il pas bien faire?

DISCUSSION

1. Une vitesse de soixante-dix kilomètres à l'heure est-elle supérieure à la vitesse permise dans votre état? Dans la plupart des états? Quelle est la vitesse permise en France?

2. Savez-vous pourquoi il est plus dangereux de faire de la vitesse à l'entrée d'un village français qu'à l'entrée d'un village américain?

3. Théophile Mangeot a-t-il mal compris ce que le juge lui demandait? Sa réponse était-elle une réponse exacte à la question du juge?

4. En demandant à Théophile Mangeot de dire ce qu'il *savait*, que voulait dire le juge, au juste?

EXERCICES

1. Trouvez dans le texte les mots dont voici la définition: (a) discussions . . . , (b) salle où l'on juge les affaires criminelles . . . , (c) celui qui fait profession de plaider en justice . . . , (d) couvert de blessures . . . , (e) domaine rural où l'on fait de l'agriculture . . . , (f) manière d'écrire correctement les mots d'une langue . . . , (g) gosier . . . , (h) ce qui est vrai . . .

2. Trouvez la fin qui convient à chaque phrase:

(a) L'automobiliste, qui allait vite
- n'a pas pu s'arrêter.
- a tué une femme.
- a blessé une vieille villageoise.

(b) Chaque fois, le récit de Mangeot
- devenait plus contradictoire.
- montrait son souci de la vérité.
- s'allongeait.

(c) Il suit l'affaire avec attention
- sans y comprendre grand'chose.
- en notant chaque détail.
- en frissonnant de peur.

(d) Le juge croyait que
- Théophile Mangeot était coupable.
- Théophile Mangeot était un imbécile.
- le témoin s'appelait Théophile Mangeot.

(e) Théophile Mangeot ne sait pas
- bien compter.
- traire les vaches.
- conduire une auto.

3. Continuez l'affaire au tribunal. Le juge demande à Mangeot de dire ce qu'il a vu. Il raconte son histoire. Ensuite, l'avocat de l'automobiliste lui pose des questions pour le troubler.

4. Décrivez ce qui se passe au café du village. Mangeot raconte ce qu'il a vu, avec beaucoup d'exagération. Un paysan malin prétend que Mangeot a tout inventé. Tout le monde est incrédule. Mangeot finit par se demander si l'accident est vraiment arrivé.

41. Le pickpocket et l'avocat

Maître Thomassin, un des meilleurs avocats de Paris, est perplexe. Il a devant lui le célèbre pickpocket Faucheux, mieux connu de la police sous le nom de «l'anguille». Faucheux mérite bien son surnom: il n'a jamais été pris la main dans le sac, ou plutôt dans le sac à main ou la poche d'une de ses vic- 5 times. Il n'a jamais été attrapé, du moins jusqu'à la semaine dernière. En effet, l'inspecteur de police Bertaux, prétendant l'avoir surpris en flagrant délit, l'a arrêté et l'a emmené au poste de police le plus proche pour faire sa déposition. Remis en liberté provisoire, Faucheux doit comparaître devant le 10 tribunal correctionnel à la fin du mois, sous l'inculpation de vol à la tire. Faucheux vient d'exposer tout cela à Mᵉ Thomassin, et il continue d'une voix indignée:

—Je vous jure, Mᵉ Thomassin, que l'inspecteur Bertaux a menti! Il n'a pas pu me surprendre en flagrant délit pour deux 15 simples raisons: la première, c'est que je savais qu'il me filait et que, naturellement, je me tenais sur mes gardes; la deuxième,

c'est que *j'opère* d'une manière si habile qu'on ne m'a jamais
surpris et qu'on ne me surprendra jamais en train de *travailler*.
20 J'ai toujours su glisser entre les doigts de la police. Ce n'est pas
pour rien, tout de même, que mes collègues m'appellent «l'anguille» et qu'ils me considèrent comme le roi des pickpockets!
Je vous le répète: je suis innocent. L'inspecteur Bertaux a profité
du fait que nous étions tous les deux au milieu de la foule pour
25 m'arrêter.

Après avoir encore insisté sur son innocence, Faucheux tend
à Mᵉ Thomassin un billet de banque de mille francs, en lui
disant:

—Prenez ce billet comme provision, Mᵉ Thomassin, et oc-
30 cupez-vous de mon affaire! Je sais que vous êtes aussi habile
dans votre profession que moi dans la mienne.

Mᵉ Thomassin se laisse enfin convaincre. Il met négligemment
le billet de banque dans la poche droite de son pantalon et
promet de se charger de l'affaire. Il accompagne *le roi des pick-*
35 *pockets* jusqu'à la porte de son cabinet et retourne à son bureau.
Machinalement, avant de recevoir le client suivant, il plonge la
main dans sa poche et . . . «Où est donc le billet?» s'écrie-t-il,
stupéfait de ne pas l'y trouver. Il le cherche fébrilement partout
sur son bureau, puis par terre. Soudain, la porte de son cabinet
40 s'ouvre et Faucheux rentre en souriant.

—Ce n'est pas la peine de chercher le billet, Mᵉ Thomassin,
lui dit-il d'un ton jovial. Le voici! Je vous l'ai *repris* au moment
de sortir . . . Et tenez, voici aussi votre montre! Vous voyez,
vous ne vous étiez aperçu de rien! J'ai voulu simplement vous
45 démontrer qu'on ne peut pas me surprendre en flagrant délit,
et vous prouver ainsi que l'inspecteur Bertaux a menti. J'espère,
à présent, que vous êtes absolument convaincu de mon innocence!

maître (abbr. **Mᵉ**) *m.* title given to a lawyer: translate Mr. —**anguille**
f. eel. —**surnom** *m.* nickname. —**la main dans le sac** red-handed
(**lit.** with his hand in the bag). —**sac à main** *m.* handbag. —**attraper**
to catch. —**en flagrant délit** in the act, red-handed (cf. **flagrante
delicto**). —**proche** near. —**déposition** *f.* statement (of a witness,
plaintiff, accused person, etc.). —**remis en liberté provisoire** out on

bail (*lit.* given temporary freedom). —**tribunal correctionnel** *m.* police court. —**inculpation** *f.* accusation. —**vol à la tire** picking pockets. —**mentir** to lie. — **filer** to follow, shadow. — **habile** clever. — **billet de banque** *m.* banknote. —**provision** *f.* advance payment, retainer. —**fébrilement** feverishly. —**ce n'est pas la peine** it's not worth the trouble. —**montre** *f.* watch. —**démontrer** to demonstrate.

QUESTIONNAIRE

1. Qui est Mᵉ Thomassin?
2. Qui est le client qui le rend perplexe?
3. Pourquoi a-t-on donné à Faucheux le surnom de «l'anguille»?
4. Qu'est-ce qui est arrivé à Faucheux la semaine dernière?
5. Que prétend l'inspecteur Bertaux?
6. Que fait-on de Faucheux quand l'inspecteur a fait sa déposition?
7. Sous quelle inculpation Faucheux doit-il comparaître?
8. Qu'est-ce que Faucheux jure à Mᵉ Thomassin?
9. Pourquoi Faucheux se tenait-il sur ses gardes?
10. Qu'est-ce que Faucheux a réussi à faire jusqu'à présent?
11. Comment les collègues de Faucheux prouvent-ils leur admiration pour lui?
12. De quoi l'inspecteur Bertaux a-t-il profité?
13. Quelle somme Faucheux offre-t-il à l'avocat?
14. Que fait l'avocat du billet de banque qu'il vient de recevoir?
15. Pourquoi Mᵉ Thomassin est-il stupéfait après le départ de Faucheux?
16. De quoi s'est-il aperçu?
17. Que dit Faucheux en rentrant dans le cabinet?
18. Qu'est-ce qu'il voulait démontrer?
19. Qu'espérait-il établir de cette façon?

DISCUSSION

1. Avez-vous remarqué un calembour (jeu de mots) dans le premier paragraphe du conte? Pouvez-vous traduire ce calembour sans rien laisser perdre de sa saveur?
2. L'élément comique de ce conte vient encore (comme dans les contes 27 et 35) de la lumière inattendue qu'il jette sur la moralité (ou plutôt l'amoralité) pittoresque des individus qui vivent en dehors de la société. Il y a aussi un problème intéressant qui concerne les rapports entre la légalité et la moralité comme le suggéreront les questions suivantes:
(a) Si l'inspecteur Bertaux avait menti, Faucheux aurait-il été légalement innocent?

(b) Dans ce cas, était-il moralement innocent?

(c) Une personne est-elle innocente tant qu'on ne l'a pas trouvée *légalement* coupable d'avoir violé une loi?

(d) Un pickpocket peut-il être considéré comme un malfaiteur si on n'a jamais pu prouver qu'il a violé la loi?

EXERCICES

1. Trouvez dans le texte les mots ou les expressions qui sont synonymes des expressions et des mots suivants: (a) a tiré parti . . . , (b) c'est inutile . . . , (c) je faisais bien attention . . . , (d) montrei par des preuves évidentes . . . , (e) sans penser à ce qu'il fait . . . , (f) il me suivait de près . . . , (g) près . . . , (h) n'a pas dit la vérité . . .

2. Écrivez une petite comédie dramatique intitulée «Le Procès (*trial*) d'un Pickpocket.» (*Suggestions*: dépositions de Bertaux et de quelques témoins, défense par Mᵉ Thomassin, etc.)

3. Rédigez un petit article sur l'arrestation de Faucheux. Imitez le style d'un journal français.

42. Les deux paris

Raymond Maurin est un des meilleurs reporters du grand journal *Le Soir*. Comme par hasard, il se trouve toujours sur place quand quelque chose d'important a lieu. Il semble être au courant de tout. Ses articles sont bien écrits et justes dans les moindres détails. Il jouit de l'estime et de l'amitié de ses chefs 5 et de ses collègues.

Malheureusement, Raymond Maurin a une habitude que son chef, M. Contal, juge de plus en plus dangereuse pour le moral de tous les employés du journal placés sous ses ordres : Raymond aime à parier. Il parie non seulement avec ses amis et collègues 10 mais encore avec n'importe quel employé du journal. Et ce qui est étonnant, c'est qu'il gagne invariablement ses paris, même les plus extraordinaires! M. Contal n'a pas eu plus de chance que les autres: il a perdu les quatre paris qu'il avait eu l'imprudence de faire avec Raymond Maurin. Et pourtant, il croyait 15 bien gagner chaque fois!

Un beau jour, pour mettre un terme à la mauvaise influence des paris de Raymond, M. Contal va trouver un des directeurs

du journal et lui explique la situation. Le directeur, homme
20 d'action très énergique, écoute avec un intérêt grandissant le
récit imposant de tous les paris que Raymond a gagnés dans les
divers bureaux du journal, puis il dit en souriant à son collègue:

—Envoyez-moi cet oiseau-là dès qu'il sera de retour. Je sais
comment m'y prendre pour le corriger une fois pour toutes de
25 sa détestable manie de faire des paris!

Un peu plus tard, aussitôt que Raymond Maurin sort de son
bureau, le directeur fait venir M. Contal.

—Je savais bien que je donnerais une bonne leçon à votre
Maurin! s'écrie-t-il, tout fier de lui-même. Figurez-vous qu'à
30 peine entré dans mon bureau, notre homme a eu le toupet de
me parier cinq cents francs que j'avais une marque de naissance
à chaque pied! Naturellement, sachant bel et bien que je n'en
avais pas, j'ai accepté le pari sans la moindre hésitation. J'ai
ôté aussitôt mes souliers et mes chaussettes, et j'ai prouvé à notre
35 ami que cette fois il s'était complètement trompé et avait perdu
son pari! Je dois admettre que Maurin m'a donné les cinq cents
francs de bonne grâce, mais je suis convaincu que dorénavant il
réfléchira longtemps avant de faire un nouveau pari!

Cependant, au fur et à mesure qu'il écoute ces explications,
40 le visage de M. Contal exprime une telle surprise et une telle
déception que son directeur ne peut s'empêcher de lui demander:

—Eh bien, mon vieux, qu'est-ce qu'il y a? Vous avez l'air
complètement déçu!

—Ah! monsieur le directeur, à ma place, vous seriez aussi
45 dégoûté que moi! répond Contal. Imaginez-vous qu'avant d'aller vous voir, ce sacré Maurin m'a parié cinq mille francs qu'il
vous ferait ôter vos souliers et vos chaussettes au bout de cinq
minutes de conversation, et j'ai eu la stupidité d'accepter le pari!

---

pari *m.* bet, wager. —**sur place** on the spot. —**moral** *m.* morale. —
parier to bet, wager. —**un beau jour** one fine day, suddenly, unexpectedly. —**terme** *m.* limit, end. —**directeur** *m.* (of a paper) editor.
—**je sais comment m'y prendre** I know how to go about it. —**corriger** to correct, cure, punish. —**manie** *f.* mania. —**avoir le toupet**
(colloq.) to have the nerve. —**naissance** *f.* birth. —**bel et bien** thoroughly, very well. —**soulier** *m.* shoe. —**chaussette** *f.* sock (men's). —

dorénavant from now on. —**au fur et à mesure que** while, in proportion as. —**déception** *f.* disappointment. —**déçu** disappointed. —
dégoûter to disgust. —**sacré** (colloq.) confounded, blasted, cursed.

QUESTIONNAIRE

1. Pour quel journal travaille Raymond Maurin?
2. Quelles sont ses qualités de reporter?
3. Qui l'estime?
4. Quelle est la mauvaise habitude de Maurin?
5. Quelle chance a-t-il?
6. Combien de fois M. Contal a-t-il parié avec Maurin?
7. Qu'en est-il résulté chaque fois?
8. Que fait M. Contal pour essayer de corriger Maurin?
9. Quel caractère le directeur a-t-il?
10. Quelle est l'attitude du directeur après avoir vu Maurin?
11. Quel étrange pari Maurin a-t-il fait?
12. Qu'a fait le directeur pour gagner le pari?
13. Maurin a-t-il perdu les cinq cents francs de mauvaise grâce?
14. De quoi le directeur est-il convaincu?
15. Quel air Contal a-t-il en écoutant le récit du directeur?
16. Qu'est-ce que Maurin avait parié avec Contal?
17. Combien Maurin a-t-il gagné en tout?

DISCUSSION

1. Si on a la manie de parier, peut-on se livrer à cette manie tout
seul? A qui donc était la faute, à Maurin ou aux autres?

2. Vous avez un exemple du système de Maurin. Pourquoi ses victimes acceptaient-elles ses paris?

3. En prenant comme exemples les deux paris mentionnés dans le
conte, diriez-vous que Maurin risquait de se ruiner?

4. Si votre employé faisait tout le temps des paris et les gagnait
toujours, quel moyen emploieriez-vous pour l'en corriger?

EXERCICES

1. Trouvez le commencement qui convient à chaque phrase:

(a) $\begin{cases} \text{Les articles de Maurin} \\ \text{Les idées de M. Contal} \\ \text{Les paris de Maurin} \end{cases}$ sont justes dans les moindres détails.

(b) $\begin{cases} \text{Jamais M. Contal ne} \\ \text{Chaque fois que Maurin parie, il} \\ \text{Le directeur} \end{cases}$ gagne ses paris.

(c) $\left\{\begin{array}{l}\text{L'histoire des paris de Maurin}\\\text{La détérioration du moral des employés}\\\text{Le pari sur les marques de naissance}\end{array}\right\}$ fait un récit imposant.

(d) $\left\{\begin{array}{l}\text{Maurin parie avec le directeur}\\\text{Le directeur accepte le pari}\\\text{Maurin ne parie que}\end{array}\right\}$ parce qu'il est sûr de gagner.

(e) $\left\{\begin{array}{l}\text{Si Contal avait eu une marque de naissance,}\\\text{Si Maurin avait gagné 500 francs,}\\\text{Si le directeur avait perdu cinq mille francs,}\end{array}\right\}$ lui aussi aurait été dégoûté.

2. Faites des phrases en employant les expressions suivantes: (a) au fur et à mesure que . . . , (b) de bonne grâce . . . , (c) être au courant . . . , (d) de plus en plus . . . , (e) avoir le toupet de . . . , (f) bel et bien . . . , (g) sur place . . . , (h) une fois pour toutes . . . , (i) mettre un terme à . . . , (j) ce sacré . . .

3. Pour augmenter encore ses gains, Maurin a parié avec d'autres reporters que le directeur accepterait également de parier avec lui. Écrivez un dialogue entre Maurin et ses amis après son tête-à-tête avec le directeur.

43. *Une curieuse coïncidence*

Au retour de leur délicieux voyage de noces en Bretagne, Hubert et Nicole se sont installés dans un coquet appartement moderne. Ils y coulent des jours heureux, tout seuls, et leur lune de miel promet de se prolonger longtemps, longtemps, sans le moindre nuage. Mais, hélas! il y a la famille. La famille qu'on 5 oublie, mais qui ne vous oublie pas! Et un beau jour, ou plutôt un vilain jour, la tante d'Hubert arrive sans crier gare pour passer quelques jours avec «ses chers neveu et nièce.»

Tout d'abord, tante Émilie, car c'est ainsi qu'elle s'appelle, trouve tout absolument parfait. Nicole sait très bien faire la 10 cuisine; Hubert a de délicates attentions à son égard et l'appartement est ravissant. Bref, c'est idéal. Mais, au bout de trois jours, tante Émilie ne peut s'empêcher d'offrir des suggestions, des conseils, et, comme il fallait s'y attendre, des critiques.

C'est étonnant comme il se trouve toujours quelqu'un dans 15 la famille pour donner des conseils à un jeune ménage, même s'il n'en a pas besoin! Au début, Nicole et Hubert acceptent tout

cela d'assez bonne grâce, mais, à la fin de la semaine, ils com-
mencent à trouver tante Émilie de plus en plus gênante et in-
20 supportable. Comment lui faire comprendre que sa visite devrait
se terminer, qu'il est grand temps qu'elle s'en aille et laisse le
jeune ménage vivre seul, à sa guise? Hubert et Nicole discutent
ensemble de la meilleure manière de le lui faire comprendre.
C'est Hubert qui lui parlera, car, après tout, c'est sa tante!
25 «J'ai trouvé!» s'écrie-t-il tout à coup. Le jour suivant, profitant
d'un moment propice dans la conversation, il dit à sa tante:

—Je ne veux pas te donner l'impression que tu nous gênes,
loin de là! Tu sais bien que nous sommes heureux de ta visite,
mais ne penses-tu pas qu'oncle Philippe et cousin Maurice sont
30 impatients de te revoir?

—Quelle curieuse coïncidence! Justement j'ai pensé à cela ce
matin et j'allais t'en parler, Hubert! s'écrie tante Émilie. Sachant
qu'ils voudraient bien être avec moi, je me suis permis de les
inviter à venir passer quelques jours ici. De cette façon, vous
35 aurez aussi le plaisir de les voir!

noces *f. pl.* wedding; **voyage de noces** honeymoon trip. —**coquet**
smart. —**couler** to flow, (of time) to pass. —**lune** *f.* moon. —**miel** *m.*
honey. —**nuage** *m.*   cloud. —**vilain** ugly, nasty. —**sans crier gare**
without warning. —**cuisine** *f.* cooking. —**bref** in short. —**ménage** *m.*
household, couple. —**à sa guise** as they like. —**propice** propitious.

QUESTIONNAIRE

1. Où Hubert et Nicole ont-ils fait leur voyage de noces?
2. Où s'installent-ils au retour?
3. Qu'est-ce qui promet de se prolonger?
4. Qu'est-ce qu'on oublie mais qui ne vous oublie pas?
5. Qui arrive un beau jour?
6. Au commencement, tante Émilie trouve-t-elle tout à son goût?
7. Quel talent concède-t-elle à Nicole?
8. Comment Hubert se comporte-t-il à l'égard de sa tante?
9. Qu'est-ce que tante Émilie ne peut pas s'empêcher de faire, au
   bout de trois jours?
10. Comment Nicole et Hubert acceptent-ils les critiques, au début?
11. A la fin de la semaine, comment trouvent-ils tante Émilie?
12. Qui va essayer de faire comprendre à tante Émilie qu'elle ferait
    bien de s'en aller?

13. Pourquoi est-ce Hubert qui lui parlera?
14. Qui est impatient de revoir tante Émilie?
15. Quelle curieuse coïncidence s'est-il produit?
16. Qu'est-ce que tante Émilie s'est permis de faire?
17. Quel plaisir attend Hubert et Nicole?

DISCUSSION

1. Avez-vous remarqué un jeu de mots dans la dernière phrase du premier paragraphe? Peut-on le traduire en anglais?

2. D'après ce qui arrive dans ce conte, croyez-vous que ce mariage durera longtemps?

3. Qu'est-ce qu'il y a de comique dans cette histoire? Les difficultés causées aux jeunes mariés par leurs familles? Le tact excessif d'Hubert? Le changement d'attitude de la tante? Son sans-gêne (*unconcern*)?

4. Ne trouvons-nous pas amusant le spectacle d'une personne qui devient elle-même la victime du *mensonge de politesse* qu'elle a dit? Pourquoi?

5. Dans quelle partie de la France se trouve la Bretagne? Quels en sont les attraits principaux pour les touristes?

EXERCICES

1. Trouvez les mots dont voici les définitions: (a) le fait que différentes choses arrivent en même temps . . . , (b) mari et femme dans leur vie commune . . . , (c) art de préparer les mets . . . , (d) amas de brouillards suspendu dans l'atmosphère . . . , (e) mettre obstacle, faire opposition . . . , (f) passer . . . , (g) qui plaît . . . , (h) mariage et réjouissances qui l'accompagnent . . .

2. Formulez un proverbe (en français) basé sur la mésaventure dont Hubert et Nicole ont été victimes, à cause de leur tact excessif.

3. Dramatisez ce conte.

44. Un inspecteur de police zélé

L'inspecteur de police Joubert se frotte les mains avec une satisfaction évidente. Il vient de recevoir un coup de téléphone de la Préfecture de Police de Paris qui le remplit d'espoir. On lui annonce qu'un criminel international, recherché
5 par la police de plusieurs pays, doit probablement se cacher dans la région dont lui, Joubert, a la surveillance. Il va pouvoir enfin prouver à ses collègues parisiens que bien qu'il ne soit qu'un obscur inspecteur d'une petite ville du sud-ouest, il est néanmoins capable de les aider utilement.
10 Joubert achève de fumer une cigarette en méditant longuement. Il songe que cette affaire, qui lui tombe pour ainsi dire du ciel, peut lui valoir une promotion rapide. Qui sait? L'attention de la France entière, et même celle de l'Europe, peut tout à coup se fixer sur lui! Il n'y a pas d'alternative: il faut qu'il réussisse
15 à arrêter le criminel, coûte que coûte! Il faut se montrer à la

hauteur de la situation. Allons! il est temps d'agir, d'agir sans
retard! Il prend donc toutes les dispositions nécessaires et alerte
jusqu'au moindre poste de police de sa région.

La Préfecture de Police envoie à Joubert, par courrier spécial,
le signalement complet du criminel et six photographies qui le
représentent debout, assis, de face, de profil, avec et sans cha- 20
peau. Il est regrettable que le criminel n'ait laissé nulle part ses
empreintes digitales. Avec quelle fébrilité Joubert attend le
courrier du soir! Il se met en campagne dès qu'il a examiné et
étudié soigneusement chaque photo.

De même que les agents placés sous ses ordres, Joubert est 25
debout toute la nuit, cherchant partout et questionnant tous ceux
qu'il suppose capables de lui fournir le moindre renseignement
sur le criminel. Quand il retourne à son bureau, le matin, pour
répondre au coup de téléphone qu'il va recevoir de Paris à neuf
heures, il est complètement épuisé mais satisfait du résultat de 30
ses efforts. La sonnerie du téléphone retentit à l'heure convenue.
Vite, il prend l'appareil.

—Eh bien, Joubert, y a-t-il du nouveau? Avez-vous une
piste? lui demande le chef de la Sûreté Nationale.

—Du nouveau? Je vous crois! répond l'inspecteur d'une voix 35
triomphante. J'ai déjà arrêté cinq individus qui correspondent
au signalement donné, et qui ressemblent exactement aux cinq
premières photos. J'espère bien en trouver un sixième qui res-
semblera à la photo du criminel sans chapeau! Sûrement, notre
homme sera l'un des six! 40

---

zélé zealous. —**frotter** to rub. —**Préfecture de Police** *f.* the Central Police Headquarters. —**néanmoins** nevertheless. —**fumer** to
smoke. —**tomber du ciel** to happen unexpectedly but appropriately.
—**coûte que coûte** at any cost. —**à la hauteur** equal to. —**courrier**
m. mail. —**signalement** *m.* description. —**de face** full face. —**nulle
part** nowhere. —**empreintes digitales** *f. pl.* finger-prints. —**fébrilité**
f. feverishness. —**se mettre en campagne** to go into action. —**renseignement** *m.* bit of information. —**épuiser** to exhaust. —**sonnerie
du téléphone** *f.* telephone bell. —**retentir** to ring, resound. —**appareil** *m.* apparatus, telephone (when a telephone has previously been
mentioned). —**piste** *f.* trail, track, lead. —**Sûreté Nationale** *f.* French
National Detective Bureau.

QUESTIONNAIRE

1. Que fait Joubert avec une satisfaction évidente?
2. Quelle est la cause de cette satisfaction?
3. Où croit-on que le criminel international se cache?
4. Que va pouvoir prouver Joubert?
5. Que fait Joubert pendant qu'il médite?
6. D'où lui tombe cette affaire?
7. Qu'est-ce que cette affaire peut valoir à Joubert?
8. Sur qui l'attention de la France entière peut-elle tout à coup se fixer?
9. Que faut-il faire coûte que coûte?
10. Quelles dispositions Joubert prend-il?
11. Qu'envoie-t-on à Joubert par courrier spécial?
12. Comment les photos représentent-elles le criminel?
13. Qu'est-ce que le criminel s'est bien gardé de laisser quelque part?
14. Que fait Joubert avant de se mettre en campagne?
15. A quoi Joubert s'occupe-t-il pendant toute la nuit?
16. Dans quel état se trouve-t-il le lendemain matin?
17. A quelle heure Joubert reçoit-il un coup de téléphone de Paris?
18. Quelle nouvelle Joubert annonce-t-il au chef?
19. Qu'espère-t-il?

DISCUSSION

1. De qui rit-on dans ce conte, de Joubert ou de la Sûreté de Paris?
2. L'intérêt de ce conte se trouve-t-il seulement dans l'élément de surprise, à la fin? Y a-t-il une satire? S'il y en a une, contre qui, ou contre quoi, est-elle dirigée?
3. Laquelle de ces conclusions faut-il tirer du conte: (a) Que Joubert est ambitieux et zélé, mais bête? (b) Que les photos d'identité sont mauvaises? (c) Que, si on le photographie sous différents angles, un homme n'est pas toujours facile à reconnaître? (d) Que la police française est un peu stupide?
4. Trouve-t-on toujours aux États-Unis que la police française est comique? (Voyez les romans d'Eliot Paul).
5. Où se trouvent la Préfecture de Police et la Sûreté Nationale à Paris? (Si vous ne le savez pas, cherchez dans une encyclopédie ou dans un guide de Paris.)

EXERCICES

1. Trouvez la fin qui convient à chaque phrase:

(a) Joubert vient de recevoir des nouvelles

- d'un criminel français.
- de la Gendarmerie nationale.
- qui lui font espérer une promotion.

(b) Joubert décide qu'il est temps

- d'agir.
- de chercher des empreintes digitales.
- d'envoyer un message.

(c) De même que ses agents, Joubert

- ne se couche pas à neuf heures.
- arrête des douzaines de criminels.
- photographie des suspects sans chapeau.

(d) Il attend à neuf heures

- la communication du chef de la Sûreté.
- la sonnerie de la porte.
- les rapports de ses hommes.

(e) Joubert annonce triomphalement qu'il

- a arrêté le bandit qu'on recherche.
- a arrêté six criminels.
- y a du nouveau.

2. Faites des phrases en employant les expressions suivantes: (a) comme convenu . . . , (b) tomber du ciel . . . , (c) coûte que coûte . . . , (d) pour ainsi dire . . . , (e) il est regrettable que . . .

3. Continuez le conte ainsi: Entrée en scène d'un détective amateur, qui découvre le criminel d'une façon très inattendue.

4. Dramatisez ce conte.

45. Les ancêtres

Il y a des hommes qui ont beau travailler du matin au soir pendant toute leur vie: ils arrivent à peine à joindre les deux bouts. Il y en a d'autres qui ont beaucoup plus de chance, et qui deviennent riches sans beaucoup travailler. M. Le Châtel est
5 un de ces derniers. Grâce à des spéculations heureuses, il a acquis une fortune considérable en quelques années.

Cependant, au fur et à mesure qu'il amassait ses millions, M. Le Châtel sentait la nécessité de ne pas ressembler à un nouveau riche. Il a eu soin de faire meubler avec goût le somptueux
10 hôtel qu'il a acheté dans un des plus beaux quartiers de Paris. Mais cela n'est pas suffisant. Il faut prouver au monde qu'il n'est pas d'humble origine, et qu'au contraire il est le descendant direct d'une famille française très ancienne. Ceci est assez difficile, car, en réalité, ses parents et grands-parents n'étaient
15 que de petits fermiers. Néanmoins, avec de l'argent, avec beaucoup d'argent, on peut faire beaucoup de choses! On peut même se faire établir un arbre généalogique impressionnant. Les petits fermiers sont donc devenus de très gros propriétaires,

possédant de vastes terres et forêts ainsi que de nombreuses fermes léguées par leurs ancêtres. Bref, M. Le Châtel s'est créé 20 de son côté, et de celui de sa femme, une famille très honorablement et même glorieusement connue. Il ne manque jamais l'occasion d'en parler à ses invités. De cette façon, à force de les nommer, les ancêtres imaginaires sont devenus peu à peu réels dans son esprit. 25

Ce soir, après un succulent repas offert en l'honneur de plusieurs personnes de la haute société, M. Le Châtel se trouve dans le fumoir avec un des banquiers les plus importants de Paris. Naturellement, notre hôte en arrive à parler de ses origines. 30

—Voyez-vous, mon cher ami, si mes ancêtres n'appartenaient pas à la haute noblesse, ils comptaient par contre parmi les plus gros fermiers français. Du côté de mon père, par exemple, son père, son grand-père et ses arrière-grands-pères ont toujours possédé d'immenses terres. Trois de mes ancêtres furent tour à 35 tour les hôtes des rois François Ier, Henri IV et Louis XIV, lorsque ceux-ci traversèrent respectivement leur région. Confidentiellement, je vous dirai encore que j'ai découvert dernièrement des documents irréfutables prouvant l'existence d'un certain sieur Le Châtel à l'époque des Croisades de Saint-Louis! 40

—Oh! oh! Vraiment? remarque son interlocuteur, courtois mais fatigué de l'entendre. Vous pouvez être fier de tels ancêtres! Toutefois, en comparaison avec les miens, vos ancêtres paraîtraient plutôt jeunes!

—Pas possible! Les vôtres doivent alors remonter à bien avant 45 les Croisades, n'est-ce pas? demande M. Le Châtel avec une admiration qu'il ne peut pas dissimuler.

—Je vous crois! répond le banquier avec un fin sourire. Confidentiellement, je vous dirai que mes ancêtres étaient dans l'arche de Noé! 50

---

ancêtre *m.* ancestor. —**joindre les deux bouts** to make both ends meet. —**meubler** to furnish. —**fermier** *m.* farmer. —**léguer** to bequeath. —**fumoir** *m.* smoking-room. —**hôte** *m.* host. —**courtois** courteous. —**les Croisades** *f.* the Crusades. —**Je vous crois!** I should say so! —**arche** *f.* **de Noé** Noah's Ark.

QUESTIONNAIRE

1. Les hommes qui travaillent du matin au soir, pendant toute leur vie deviennent-ils tous riches?
2. Comment certains hommes font-ils fortune?
3. Comment M. Le Châtel a-t-il acquis la sienne?
4. A qui M. Le Châtel ne veut-il pas ressembler?
5. Qu'a-t-il eu soin de faire?
6. Que faut-il que M. Le Châtel prouve au monde?
7. Qui étaient ses parents et ses grands-parents?
8. Comment peut-on remédier à une humble origine?
9. Que sont devenus les parents de M. Le Châtel, après la création de l'arbre généalogique?
10. De quoi M. Le Châtel parle-t-il toujours à ses invités?
11. Est-il persuadé que ses ancêtres imaginaires ont vraiment existé?
12. Avec qui M. Le Châtel se trouve-t-il dans le fumoir?
13. Prétend-il que ses ancêtres appartenaient à la haute noblesse?
14. A quels rois ses ancêtres ont-ils offert l'hospitalité?
15. Selon Le Châtel, qu'a-t-il découvert dans des documents irréfutables?
16. Le banquier trouvait-il intéressantes les histoires de Le Châtel?
17. Quels ancêtres remontaient bien avant les Croisades?
18. Où les ancêtres du banquier avaient-ils été?

DISCUSSION

1. Ce conte suggère-t-il que c'est plutôt par chance que par mérite qu'on devient riche? Qu'en pensez-vous?
2. Est-ce seulement en Europe qu'on veut avoir des ancêtres illustres? Est-ce aussi une faiblesse américaine?
3. Trouvez-vous qu'aux États-Unis on a vraiment le sentiment qu'il existe différentes classes sociales? Un Américain serait-il de l'avis de Balzac, qui disait que pour un bourgeois une duchesse n'a jamais plus de trente ans?
4. Quand on a des ancêtres distingués, doit-on en parler?

EXERCICES

1. Trouvez dans le conte les mots ou les expressions qui sont synonymes des expressions et des mots suivants: (a) pourtant . . . , (b) s'est donné la peine . . . , (c) chacun à son tour . . . , (d) travaillent en vain . . . , (e) en revanche . . . , (f) subviennent péniblement aux frais de leur ménage . . . , (g) ne suffit pas . . .
2. Continuez le conte ainsi: M. Le Châtel n'a jamais entendu parler

de l'arche de Noé et demande des renseignements sur ce sujet. (Cherchez l'histoire de Noé dans une Bible française.)

3. Écrivez un dialogue sur le thème suivant: Un jeune homme, pauvre mais rusé, veut épouser la fille de M. Le Châtel: il essaie de plaire à celui-ci en le faisant parler de ses ancêtres.

46. Les deux amis

Deux vieux amis, André et Robert, vont déjeuner au restaurant. Ils s'asseyent à une petite table et le garçon leur apporte la carte.

—Nous n'avons plus de bifteck ni de gigot, messieurs, leur
5 dit-il. Il est presque deux heures et nous avons eu beaucoup de monde pour le déjeuner. Il ne nous reste que des côtelettes de veau. Si vous en voulez, nous pouvons vous les servir avec des haricots verts au beurre et des pommes de terre nouvelles.

—Y a-t-il encore des hors-d'œuvre? demande Robert.
10 —Non, monsieur, je regrette. Tout le monde en a commandé et il n'en reste plus du tout. Voudriez-vous une salade de laitue pour compléter votre repas?

Les deux amis acceptent et, un peu plus tard, le garçon leur apporte un plat appétissant. Tout est cuit à point mais, mal-
15 heureusement, une des deux côtelettes est beaucoup plus petite que l'autre.

—Sers-toi, propose poliment André, en poussant le plat vers son ami.

—Non, mon vieux, sers-toi, répond Robert en protestant.

—Allons! allons! sers-toi donc, puisque le plat est devant toi, *20* insiste André.

—Eh bien, puisque tu y tiens, je me sers le premier, dit Robert qui prend la plus grosse côtelette et se sert en outre une bonne portion de légumes.

André, qui l'a observé en silence, se sert à son tour, mais son *25* attitude à l'égard de son ami devient soudainement distante et froide. Il parle à peine et ne fait aucun effort pour entretenir la conversation.

—Qu'est-ce que tu as donc? demande bientôt Robert qui s'est rendu compte du changement. Tu me laisses parler et tu *30* as l'air fâché. Est-ce que j'ai dit ou fait quelque chose qui ne t'a pas plu?

—Puisque tu me le demandes, je te répondrai franchement que ta façon de te servir m'a choqué tout à l'heure.

—Pas possible! Comment cela? Explique-toi, André, je ne te *35* comprends pas. Qu'est-ce que tu aurais fait, à ma place?

—Eh bien, Robert, si je m'étais servi le premier, j'aurais pris la plus petite côtelette et je t'aurais laissé la plus grosse. Voilà ce que j'aurais fait!

—Pourquoi te plains-tu, alors? s'écrie Robert tout étonné. *40* Tu as la plus petite côtelette et moi la plus grosse: c'est exactement ce que tu voulais, n'est-ce pas?

gigot *m.* leg of mutton. —**côtelette** *f.* chop. —**veau** *m.* veal, calf. —**haricots verts** *m. pl.* string beans, green beans, snap beans. —**au beurre** cooked in butter. —**laitue** *f.* lettuce. —**cuit à point** properly cooked. —**entretenir** to maintain. —**fâché** angry, displeased. —**choquer** to shock.

QUESTIONNAIRE

1. Où André et Robert vont-ils déjeuner?
2. Quand ils sont assis, que leur apporte le garçon?
3. Que ne peut-on plus servir?
4. Pourquoi n'en a-t-on plus?
5. Qu'est-ce que le garçon offre à André et à Robert?
6. Pourquoi n'y a-t-il plus de hors-d'œuvre?
7. Que propose le garçon pour compléter le repas?

8. Est-ce que le plat que le garçon leur apporte est bien préparé?
9. Qu'est-ce qui empêche ce plat d'être parfait?
10. Que dit André à son ami?
11. Qui se sert le premier?
12. Laquelle des deux côtelettes André prend-il?
13. Quel changement s'est-il produit dans son attitude?
14. De quoi Robert s'est-il rendu compte?
15. Qu'est-ce qui a choqué André?
16. D'après ce que dit André, qu'aurait-il fait s'il s'était servi le premier?
17. De quoi Robert est-il étonné?

DISCUSSION

1. Croyez-vous que Robert «ne comprenait pas» et était vraiment «étonné»? Était-il naïf ou cynique?
2. André était-il plus poli et moins égoïste que Robert?
3. Quelle solution aurait été la plus équitable?
4. Trouvez-vous qu'André et Robert étaient de véritables amis?
5. Ce conte montre l'hypocrisie de cette sorte de politesse qui n'est qu'artificielle. Si André avait été vraiment poli, comment aurait-il agi?
6. Le repas d'André et de Robert était-il un vrai repas français complet? Qu'est-ce qui manquait?

EXERCICES

1. Trouvez la fin qui convient à chaque phrase:

(a) Il ne restait plus de $\begin{cases} \text{veau.} \\ \text{bifteck.} \\ \text{salade.} \end{cases}$

(b) Les deux amis remarquent que $\begin{cases} \text{tout est bien cuit.} \\ \text{les côtelettes sont trop petites.} \\ \text{il n'y a pas assez de pommes de terre.} \end{cases}$

(c) André est si fâché qu'il $\begin{cases} \text{ne parle guère.} \\ \text{ne se sert pas du tout.} \\ \text{dit que Robert est trop poli.} \end{cases}$

(d) La façon de se servir de Robert $\begin{cases} \text{devrait servir de modèle à tous.} \\ \text{le fera mourir de faim.} \\ \text{a beaucoup déplu à André.} \end{cases}$

(e) Si André s'était servi le premier, il aurait $\begin{cases} \text{fait comme Robert.} \\ \text{laissé la grosse côtelette.} \\ \text{été moins poli.} \end{cases}$

2. Changez le conte ainsi : Remplacez les personnages d' André et de Robert par Jake et Pete, deux Américains aux manières brusques et au langage vulgaire. Imaginez leur conversation avec le garçon, et racontez ce qui arrive quand ils sont servis.

3. Continuez le conte ainsi : Robert, qui a plaisanté (*joked*) jusque là, fait un petit discours à André sur la vraie politesse.

47. Le ruisseau

Asseyons-nous au pied de cet arbre, dit mon ami Henri, dont
le front était couvert de sueur. Cette longue promenade
m'a fatigué et j'ai chaud! Avez-vous encore des cigarettes?

Je sortis un paquet presque vide de ma poche et le lui pré-
5 sentai. Henri en tira une cigarette et me demanda une allumette.
Je lui donnai du feu. Nous restâmes quelques minutes sans dire
un mot. Il faisait bon, assis à l'ombre du vieux chêne! Mon ami
regardait en bas de la colline, tout en fumant lentement, avec
un plaisir évident. Il rompit soudain le silence.

10 —Voyez-vous là-bas, à droite, ce ruisseau qui brille au soleil?
me dit-il. Eh bien, il me rappelle une promenade que je n'ou-
blierai jamais.

—Ah! Ah! m'exclamai-je. Il doit sûrement s'agir d'une
promenade sentimentale, n'est-ce pas?

15 —Non, pas du tout, poursuivit Henri. C'est une promenade
que je fis au printemps, il y a quelques années, avec un vieux
fermier du village et son fils, un ancien camarade d'école.

—Vraiment?

—Oui, Maurice, avec un vieux fermier aux cheveux blancs et au visage ridé comme une figue. Un vénérable grand-père de *20* quatre-vingts ans au moins et qui se considérait encore comme jeune, en dépit de son âge avancé. Nous retournions tous les trois à la ferme, après une longue promenade à travers champs. Le ruisseau que vous apercevez en bas nous barrait la route. Il n'avait guère plus d'un mètre et demi de large et n'était pas *25* profond. Mon camarade et moi aurions pu aisément le franchir en sautant. Cependant, par égard pour l'âge de son père, il voulait marcher jusqu'au pont, à une petite distance de là.

Nous poursuivions donc notre chemin lorsque, tout à coup, le vieux fermier fait face au ruisseau, prend son élan et saute! *30* Hélas! ses vieilles jambes le trahissent et le voilà qui tombe dans l'eau. Sans perdre un instant, mon camarade et moi sautons par-dessus le ruisseau et aidons le vieillard à passer de notre côté. Mouillé jusqu'aux genoux, le pauvre vieux nous regarde avec des yeux pleins d'étonnement et de tristesse. *35*

—Qu'est-ce qui m'est donc arrivé? demande-t-il d'un air piteux. Autrefois, je pouvais facilement sauter par-dessus ce ruisseau! Maintenant, je crois bien que je ne peux plus.

—Il n'y a rien d'étonnant, papa! Le ruisseau est beaucoup plus large à présent qu'à cette époque-là! s'empressa de lui *40* expliquer mon camarade, avec autant de délicatesse que de présence d'esprit.

—Ne trouvez-vous pas cette explication admirable, Maurice?

---

ruisseau *m.* brook. —**sueur** *f.* sweat, perspiration. —**paquet** *m.* package, pack. —**allumette** *f.* match. —**je lui donnai du feu** I gave him a light. —**il faisait bon** it was nice, comfortable. —**chêne** *m.* oak. — **colline** *f.* hill. —**rompre** to break. —**briller** to shine. —**ridé** wrinkled. —**en dépit de** in spite of. —**soucieux** mindful, concerned. — **pont** *m.* bridge. —**prendre son élan** to rush forward. —**trahir** to betray. —**mouiller** to wet. —**piteux** pitiful.

QUESTIONNAIRE

1. Comment s'appelle la personne qui parle au commencement du conte?
2. Pourquoi Henri voulait-il s'asseoir?

3. Qu'a-t-il demandé à son ami?
4. Qui avait les allumettes?
5. Comment les deux amis sont-ils restés pendant quelques minutes?
6. Comment se sentaient-ils?
7. Qui a rompu le silence?
8. Qu'est-ce qu'Henri a montré à son ami?
9. De quoi s'est-il souvenu?
10. S'agissait-il d'une promenade sentimentale?
11. Avec qui Henri a-t-il fait cette promenade?
12. Comment était le vieux fermier?
13. Quel âge avait-il?
14. Quel était son état d'esprit au sujet de son âge?
15. Pourquoi fallait-il traverser le ruisseau?
16. Le ruisseau était-il très large?
17. Que voulait faire le fils du fermier pour éviter de sauter par-dessus le ruisseau?
18. Qu'est-ce que le vieux fermier a fait tout à coup?
19. Qu'est-ce qui lui est arrivé?
20. Pourquoi le vieux fermier était-il étonné?
21. Comment son fils a-t-il expliqué ce qui était arrivé?
22. Comment Henri trouvait-il cette explication?

DISCUSSION

1. Il y a un proverbe français qui dit: «Si jeunesse savait, si vieillesse pouvait . . .» Cela suggère que les jeunes peuvent faire beaucoup de choses, mais ne savent pas grand'chose, tandis que les vieux savent beaucoup de choses, mais ne peuvent pas faire grand'chose. Ce conte est-il une bonne illustration de ce proverbe?

2. La longue introduction de ce conte est-elle nécessaire ou utile? Trouvez-vous que le conte serait meilleur sans introduction? Pensez-vous que l'introduction produit chez le lecteur un état d'esprit qui permet de mieux apprécier le conte?

3. Commentez le proverbe français: «Les petits ruisseaux font les grandes rivières.» Exprime-t-il la même idée que cet autre proverbe: «Petit à petit l'oiseau fait son nid»?

EXERCICES

1. Faites des phrases en employant les expressions suivantes: (a) en bas de . . . , (b) en dépit de . . . , (c) il fait bon . . . , (d) donner du feu à . . . , (e) là-bas . . . , (f) il doit s'agir de . . . , (g) prendre son élan . . .

2. Trouvez le mot dont voici la définition: (a) couvert de rides . . . ,

(b) humeur aqueuse qui sort par les pores de la peau . . . , (c) qui s'inquiète de . . . , (d) abandonner quelqu'un à qui on doit fidélité . . . , (e) cours d'eau peu large et peu profond . . . , (f) brin de bois soufré qu'on enflamme . . . , (g) qui ne contient rien . . .

3. Continuez le conte de ces deux façons: (a) Henri raconte la mort du vieux fermier, causée par le fait que le vieillard persistait à essayer de faire des choses au-dessus de ses forces. (b) Maurice n'approuve pas la tromperie (*fraud*) délicate pratiquée par son ami, et explique ce qu'il aurait dit lui-même au vieillard.

48. Une affaire mystérieuse

M. Lucien Le Breton jouit d'une popularité pour ainsi dire unique en France. Ses passionnants romans policiers se lisent partout, en ville comme à la campagne. La plupart ont été traduits en anglais, en espagnol, en italien et en allemand. On est avide d'apprendre la suite des exploits extraordinaires d'Albert Legrand que l'imagination féconde de Lucien Le Breton a créé. Du jour au lendemain, le célèbre inspecteur de la police judiciaire de Paris est devenu le Sherlock Holmes français.

L'illustre romancier vient de passer quelques semaines de vacances sur la Côte d'Azur. Il a visité tour à tour les plages renommées de Juan-les-Pins, de Cannes et de Nice. Il est resté quelques jours à Monte-Carlo. Au Casino, il a vu des joueurs de toutes les parties du monde gagner ou perdre à la roulette des sommes d'argent considérables. Que d'idées il rapporte de son voyage pour son prochain roman!

M. Le Breton revient donc à Paris très satisfait et prêt à lancer l'inspecteur Legrand sur la piste d'une bande d'escrocs internationaux opérant tout le long de la Côte d'Azur. Mais quelle

surprise, en rentrant chez lui! Il ne peut en croire ses yeux. Son
luxueux appartement a été cambriolé! Un rapide coup d'œil 20
dans chaque pièce lui révèle que ses plus beaux tableaux, ses
magnifiques tapis d'Orient et ses objets d'art les plus rares ont
disparu. De plus, les tiroirs des armoires et des commodes ont
été vidés.

—C'est un véritable désastre! s'écrie Le Breton au comble de 25
la stupéfaction. Son regard tombe soudain sur une enveloppe
placée en évidence sur son bureau. Vite, il l'ouvre et en tire une
lettre qu'il lit comme dans un rêve:
Monsieur,

Permettez-moi de vous dire tout d'abord que j'admire beau- 30
coup votre talent. J'ai lu chacun de vos romans avec un vif
intérêt. Je vous suis particulièrement reconnaissant de m'avoir
dévoilé peu à peu les méthodes vraiment remarquables dont se
sert l'inspecteur Legrand pour découvrir les criminels.

Comme vous pourrez en juger, j'ai eu soin de ne laisser 35
derrière moi aucune empreinte digitale: j'ai *travaillé* avec des
gants. Vous ne trouverez aucun indice, pas même un cheveu
ou la cendre d'une cigarette. Je peux, néanmoins, vous fournir
sans danger un renseignement très utile: j'ai employé (toujours
avec mes gants) votre machine pour écrire cette lettre. Je vous 40
la laisse, non pas par générosité mais par égoïsme. Je sais que
vous en aurez besoin pour vos prochains romans, et je tiens à
les lire!

Allons! M. Le Breton, du courage et de la persévérance! Avec
l'aide précieuse de l'inspecteur Legrand, peut-être parviendrez- 45
vous un jour à résoudre le mystère de ce cambriolage? Sait-on
jamais?

Veuillez agréer, Monsieur, l'assurance de ma considération
distinguée.

Le cambrioleur. 50

---

passionnant enthralling, gripping. —**roman policier** *m.* detective
story. —**avide** eager. —**fécond** fertile. —**police judiciaire** *f.* criminal police. —**romancier** *m.* novelist. —**Côte d'Azur** *f.* Riviera. —
plage *f.* beach, shore resort. —**joueur** *m.* player, gambler. —**escroc**
m. crook, swindler. —**luxueux** luxurious. —**cambrioler** to burglar-

ize. —**tiroir** *m.* drawer. —**armoire** *f.* wardrobe. —**commode** *f.* chest of drawers. —**vider** to empty. —**reconnaissant** grateful. —**dévoiler** to unveil, reveal. —**soigneusement** carefully. —**gant** *m.* glove. —**indice** *m.* clue. —**cendre** *f.* ashes. —**machine (à écrire)** *f.* typewriter. — **cambriolage** *m.* burglary. —**veuillez agréer** please accept (polite formula used in letters). —**cambrioleur** *m.* burglar.

QUESTIONNAIRE

1. De quoi jouit M. Le Breton?
2. Quelle est la cause de sa popularité?
3. Est-il connu à l'étranger?
4. Comment s'appelle l'inspecteur de police créé par l'imagination de Lucien Le Breton?
5. Quelle preuve donne-t-on de la renommée du personnage créé par Le Breton?
6. Où l'illustre romancier va-t-il pour ses vacances?
7. Quelles plages a-t-il visitées?
8. Qu'a-t-il vu à Monte-Carlo?
9. Que rapporte-t-il de son voyage pour son prochain roman?
10. Quelle affaire a-t-il l'intention de confier à l'inspecteur Legrand?
11. Quelle surprise attend Le Breton dans son luxueux appartement?
12. Qu'est-ce qu'un rapide coup d'œil dans chaque pièce lui révèle?
13. Que voit-il sur son bureau?
14. De qui est cette lettre?
15. Comment Le Breton la lit-il?
16. Pourquoi le cambrioleur est-il si reconnaissant?
17. Quelles précautions le cambrioleur a-t-il prises?
18. Pourquoi n'a-t-il pas emporté la machine à écrire?
19. Est-ce que le cambrioleur pense que Le Breton va éclaircir le mystère?

DISCUSSION

1. Ce conte prend-il très au sérieux le génie de M. Le Breton?
2. Le roman policier est-il très développé en France? Connaissez-vous un ou plusieurs auteurs de romans policiers français? Ce genre littéraire est-il plus développé aux États-Unis et en Angleterre?
3. Connaissez-vous d'autres plages renommées de la Côte d'Azur? Parmi celles qui sont mentionnées, laquelle est une grande ville?
4. Monte-Carlo se trouve-t-il en France? Cherchez sur la carte Monte-Carlo et les autres villes mentionnées. Y a-t-il un Monte-Carlo américain?

5. Les romans policiers donnent-ils quelquefois des idées dange-
reuses aux cambrioleurs et aux assassins?

6. Si un roman peut suggérer à quelqu'un le moyen de commettre
un crime, faut-il le supprimer?

EXERCICES

1. Trouvez la fin qui convient à chaque phrase:

(a) Lucien Le Breton a
- imité les romans de Conan Doyle.
- créé un personnage qui fait penser à Sherlock Holmes.
- écrit sur la police judiciaire de la Côte d'Azur.

(b) Le romancier a passé quelques semaines
- dans le Midi de la France.
- sur la Riviéra italienne.
- sur la Côte d'Argent.

(c) Le Breton compte écrire sur
- des hommes de moralité douteuse qui hantent la principauté de Monaco.
- des bandits qui dévalisent les passants.
- les mœurs des Apaches.

(d) Le cambrioleur a volé
- des tables et des tableaux noirs.
- toutes les vieilles tapisseries.
- les tableaux qui avaient le plus de valeur.

(e) Le cambrioleur a laissé une machine à écrire
- par générosité.
- par égoïsme.
- parce qu'il ne savait pas s'en servir.

2. L'inspecteur arrive chez son créateur, M. Le Breton, pour se
mettre sur la piste du cambrioleur: (a) Écrivez le dialogue entre
Legrand et Le Breton. (b) Décrivez les méthodes de Legrand.

3. Écrivez le commencement (deux ou trois pages) d'un roman sur
une bande d'escrocs internationaux à Monte-Carlo. (*Suggestions*: Personnages: La bande d'escrocs dont un est un jeune Américain, secrète-
ment membre du F. B. I.; la belle héroïne américaine; son père
millionnaire; l'inspecteur, etc. Scènes nécessaires: les salles de jeu du
Casino; la nuit dans les jardins du Casino; des coups de feu dans la
nuit . . .)

Vocabulaire

A

à to, at, in, into, by, on; **au** or **à la** with

abord; d'abord at first; **tout d'abord** first of all

aboyer to bark

accord *m.* agreement; **être d'**—to agree

accueil *m.* welcome, reception

accueillir to receive, welcome

accumuler, s'—to gather (of a storm)

achat *m.* purchase

acheter to buy

achever to complete, finish

acquérir (acquis) to acquire

acteur *m.* actor

addition *f.* addition, bill

admettre to admit

admirateur *m.* admirer

adresser,—la parole to speak to

affaire *f.* affair, case; *pl.* business

affiche *f.* sign, poster

s'affoler to become frantic

afin de in order to

âge *m.* age; **quel—as-tu?** how old are you?; **d'un certain**—elderly

agence *f.* agency

agent *m.* agent; **agent de police** policeman

agir to act; **s'agir de** to be a question of

agréablement agreeably

agréer to accept; **veuillez agréer** please accept (polite formula used in letters)

aide *f.* help; **à l'**—**de** with the help of

aide-cuisinière *f.* assistant cook

ailleurs elsewhere; **d'ailleurs** besides

aimable kind

aimer to like, love; **aimer mieux** to prefer

ainsi thus, so; **pour ainsi dire** so to speak; **ainsi que** like, as well as

air *m.* air, appearance; **avoir l'**— to look, seem

aise *f.* ease; **à l'aise** at his (one's) ease

ajouter to add

aligné lined up

aliment *m.* food

allemand German

aller to go, feel (health); **ça ne va pas** things aren't going well, I am not feeling well; **s'en aller,** to go away, leave; **aller à (quelqu'un),** to suit, fit; **allons!** well! now then!

allumette *f.* match

alors then;—**que** while

amabilité *f.* amiability, kindness

ami(e) *m. or f.* friend

amuser to amuse; **s'amuser** to have a good time

an *m.* year

ancêtre *m.* ancestor

ancien old, former

ange *m.* angel

anglais English

angoisse *f.* anguish, agony

anguille *f.* eel

année *f.* year

anniversaire *m.* birthday, anniversary

apercevoir to perceive; **s'apercevoir** to notice, discover

appareil *m.* apparatus, telephone (when a telephone has previously been mentioned)

appeler to call; **s'appeler** to be called, be named

appétissant appetizing

appétit *m.* appetite

apporter to bring

apprendre to learn, inform, teach

s'approcher to approach

après after; **d'après** according to

après-midi *m. or f.* afternoon

arbre *m.* tree

arche (*f.*) **de Noé** Noah's Ark

argent *m.* money
armoire *f.* wardrobe, cupboard
arrêter to arrest; **s'arrêter** to stop
arrière back, behind; **arrière-grand-père** *m.* great grandfather
arriver to arrive, happen;—**à** to succeed in, reach
aspect *m.* appearance
s'asseoir to sit down
assez rather , enough
assiette *f.* plate; **ne pas être dans son assiette** not to feel well
assis,—**e** seated
atteinte, porter—**à** to commit an offence against
attendre to wait, wait for; **s'attendre à** to expect; **en attendant** in the meantime
attirer to draw, attract
attraper to catch
aucun—**e** any, not any, none
aujourd'hui today
auparavant before, previously
ausculter to listen to the heart with stethoscope
aussi also, as, too, therefore
aussitôt immediately;–**que** as soon as
auteur *m.* author
autour around
autre other
autrefois formerly, once
s'avancer to come up, forward
avant before
avec with
avenant prepossessing, attractive
avenir *m.* future
aventure *f.* adventure
avertir to warn
avertissement *m.* warning
aveugle blind
avide eager
avocat *m.* lawyer
avoir to have; **il y a** there is, are; **il y a deux ans** two years ago
avouer to admit

B

bague *f.* ring
bain *m.* bath
baiser *m.* kiss
bal *m.* dance
baleine *f.* whale
banc *m.* bench

bande *f.* band, gang
banquier *m.* banker
barbe *f.* beard
barrer to bar
bas low; **à voix basse** in a whisper; **en bas** down, below
battre to beat
beau beautiful; **avoir beau** to (try to do something) in vain; to be useless to; **bel et bien** thoroughly, very well; **il fait beau** the weather is fine
beaucoup much, a lot, a great deal
bec *m.* beak; **bec de gaz** gaslight, lamp post
bée; la bouche bée mouth agape
berceuse *f.* lullaby
besoin *m.* need; **avoir besoin (de)** to need
beurre *m.* butter; **au beurre** cooked in butter
bien well; **eh bien** well; **bien que** although
bientôt soon
bière *f.* beer
bifteck *m.* beefsteak
bijou *m.* jewel
billet *m.* ticket; **billet de banque** banknote
blanc white
blesser to wound
bleu blue
bœuf *m.* beef, ox
boire to drink
bois *m.* wood; **Bois de Boulogne** park on outskirts of Paris
boîte *f.* box; **boîte aux lettres** mailbox
bon good, kind; **il fait**—it is nice, pleasant (weather)
bonbon *m.* candy
bond *m.* leap, jump
bondé packed
bonheur *m.* happiness, good luck
bonjour good morning, good day
bonne *f.* maid, maid of all work
bonté *f.* kindness
bouche *f.* mouth; **la bouche bée** mouth agape
boucle *f.* buckle; **boucle d'oreille** earring
bouger to budge
bout *m.* end; **au bout de** at the end of

bouteille *f.* bottle; **chambrée** bottle kept at the temperature of the room
bouton *m.* button
bras *m.* arm
brave good, worthy (patronizing)
bref (**brève**) brief, curt; in short
Bretagne *f.* Brittany
briller to shine
bruit *m.* noise
brûler to burn
buffet *m.* sideboard
bureau *m.* office, desk

C

ça that; **c'est**—that's it
cabinet *m.* cabinet, office
cacao *m.* cocoa
cacher to hide
café *m.* coffee, café
camarade *m.* comrade
cambriolage *m.* burglary
cambrioler to burglarize
cambrioleur *m.* burglar
campagne *f.* country; **se mettre en campagne** to go into action
canne *f.* cane
car for, because
carte *f.* card, bill of fare, map, (playing) card
cas *m.* case; **en tout cas** at any rate; **au—où** in case that
casserole *f.* saucepan
cause, à—de on account of
célèbre famous
cendre *f.* ashes
cent one hundred
cependant however, meanwhile
cerise *f.* cherry
certes certainly
cesser to cease, stop
chacun each one
chagrin *m.* sorrow
chaise *f.* chair
chaleur *f.* heat
chambre *f.* room
champ *m.* field; **les Champs-Élysées** a beautiful avenue in the center of Paris
chance *f.* luck
changement *m.* change
chant *m.* song
chapeau *m.* hat
chapitre *m.* chapter

chaque each, every
se charger to take charge, care of
charmant charming
chaud warm; **avoir chaud** to be warm; **il fait**—it is warm
chaussette *f.* sock (men's)
chef *m.* chief; **chef-d'œuvre** masterpiece
chemin *m.* way, road
cheminée *f.* fireplace, chimney
chêne *m.* oak
chercher to look for, seek, try to find
cheveux *m.pl.* hair
chez to or at the home of, the shop of, to
chien *m.* dog
chirurgien *m.* surgeon
choisir to choose
choquer to shock
chose *f.* thing; **quelque**—something, anything; **pas grand'**—nothing valuable (*or* of importance)
ciel *m.* sky, heaven
cinéma *m.* movies
cinq five
cinquante fifty
client *m.* customer
cœur *m.* heart; **avoir bon cœur** to be kindhearted
coiffeur *m.* hairdresser, barber
coin *m.* corner
colère *f.* anger
collège *m.* secondary school (not like our college)
coller to glue, stick
collier *m.* necklace
colline *f.* hill
combien how much (many)
comble; au comble de at the height of
commander to order
comme like, as, how; **comme ci, comme ça** so-so
commencer to begin
comment how, what
commissaire *m.* chief (of a police station)
commode *f.* bureau, chest of drawers
compagnie *f.* company
comparaison *f.* comparison
comparaître to appear (before a court)
complètement completely

comprendre to understand

compte *m.* account; **se rendre compte** to realize; **tenir compte de** to pay attention to, take into account

compter to count

conduire to lead, drive; **se conduire** to behave

conduite *f.* conduct

conférence *f.* lecture

conférencier *m.* lecturer

confiance *f.* confidence

connaissance *f.* acquaintance; **faire la connaissance de** to meet, get acquainted with

connaisseuse *f.* authority, expert

connaître to know, be acquainted with

conseil *m.* advice, piece of advice

conseiller to advise

consterné amazed, dumbfounded

content glad, happy, satisfied

contraire; au contraire on the contrary

contrairement (à) contrarily, contrary to

contre against; **par contre** on the other hand

contribuer to contribute

contrôleur *m.* conductor

convaincre to convince

convenir to fit, suit, be fitting, agree, stipulate

copie *f.* copy, paper, exercise

copieux plentiful, abundant

coquet smart

coquille *f.* shell

correctionnel; tribunal correctionnel *m.* police court

côté *m.* side; **à côté de** beside, near; **du côté de** on the side of, toward

Côte d'Azur *f.* Riviera

côtelette *f.* chop

coton *m.* cotton; **élever dans du—**to coddle

coucher to lie, lay; **se coucher** to lie down, go to bed

couler to flow, (of time) to pass

couleur *f.* color

coup *m.* blow, stroke; **coup de téléphone** telephone call;**—de sonnette** ring (of a bell)

coupable guilty; *n.* culprit

coupe *f.* cup, bowl

couper to cut

cour *f.* court

courant; être au courant de to be well informed about, have the latest information

courir to run

courrier *m.* mail

cours *m.* course; **au—de** in the course of

course *f.* errand

courtisan *m.* courtier

courtois courteous

courtoisie *f.* courtesy

couteau *m.* knife

coûter to cost; **coûte que coûte** at any cost

couvrir to cover

craindre to fear

cramponné clinging

créer to create

creux (creuse) hollow

crier to cry, yell; **sans crier gare** without warning

cristal *m.* cut-glass, crystal

croire to believe, think

croisé à carreaux double-breasted checkered (suit)

croisement *m.* crossing (of two streets)

Croisade *f.* Crusade

cuiller *f.* spoon

cuire to cook; **cuit à point** properly cooked

cuisine *f.* kitchen, cooking

cuisinière *f.* cook

cuivre *m.* brass, copper

culotte *f.* breeches, trousers

D

dame *f.* lady

dans in, into

débat *m.* debate, argument, discussion

debout standing (up)

début *m.* beginning

déception *f.* disappointment

découvrir to discover

déçu disappointed

dédaigneux disdainful

défendre to forbid, defend

dégoûter to disgust

dehors outside

déjà already

déjeuner *m.* lunch

délit *m.* infraction, offense; **en flagrant délit** in the act, red-handed (*cf.* **flagrante delicto**)

demander to ask, request; **se demander** wonder

demeurer to live, dwell

demi half

dent *f.* tooth

dentelle *f.* lace

départ *m.* departure

dépêcher, se to hurry

dépenser to spend

dépit *m.* spite; **en dépit de** in spite of

déplaire to displease

déposition *f.* statement (of a witness or an accused person)

depuis since, for, within

dernier last

dernièrement lately

derrière behind

dès since, from, as early as;—**que** as soon as

désastre *m.* disaster

descendre to descend, get down, get off; **descendre à** (of a hotel) to stop at

désireux desirous

désobéir to disobey

détraqué out of order

détrôné dethroned

deux two; **tous les**—both (of them)

devant before, in front of

devenir to become

deviner to guess

dévoiler to unveil, reveal

devoir to owe, be obliged, must, have to; *n.* duty, written lesson, homework

dévot *m.* pious

dévoué devoted

Dieu *m.* God; **Mon Dieu!** my goodness, goodness gracious!

difficile difficult

digitale, empreinte— finger print

dimanche *m.* Sunday

dîner *m.* dinner; *v.* to have dinner

dire to say, tell; **vouloir dire** to mean; **c'est-à-dire** that is; **pour ainsi dire** so to speak

directeur *m.* editor (of a paper)

diriger to direct; **se diriger** to make one's way, head (towards)

discret discreet

discuter to discuss

diseuse *f.* **de bonne aventure** fortune teller

disparaître to disappear

dissimuler to conceal

se dissiper to pass off

diviser to divide

dix-septième seventeenth

docteur *m.* doctor

doigt *m.* finger

domestique *m.* and *f.* servant

dommage; c'est dommage it's a pity

donner to give;—**sur** to face, open into

dorénavant from now on

dormir to sleep

douceur *f.* gentleness, sweetness

doué endowed

doute *m.* doubt; **sans doute** probably; **sans aucun doute** without any doubt

douzaine *f.* dozen

douze twelve

se dresser to rise up, stand up

droit right, straight; *n. m.* right, privilege; **à droite** to the right, on the right

drôle funny

dur hard, tough, stiff

durant during

E

eau *f.* water

échapper (à) to escape (from), avoid

échec *m.* failure

échelle *f.* ladder

échouer to fail

éclaircir to throw light on, solve

éclater to burst forth

école *f.* school; **école supérieure** secondary school, high school

écolier *m.* pupil, schoolboy

écouter to listen

s'écrier to cry out, exclaim

écrire to write

écriteau *m.* sign

écrivain *m.* writer

effet *m.* effect; **en effet** in fact, in truth, indeed

effrayer to frighten

égal equal; **cela m'est égal** it is all the same to me

également equally

égard *m.* regard, respect; **à l'égard de** with regard to

église *f.* church

élan *m.* spring, sudden rush forward; **prendre son élan** to take one's spring (before a jump)

élève *m. or f.* pupil

élever to raise, bring up

s'embrouiller to get mixed up

emmener to take or lead away

empaillé stuffed

empêcher to prevent, hinder; **s'**—to refrain, keep from

emploi *m.* use

emporter to take or carry away

empreinte *f.* print; **empreintes digitales** finger prints

empressement *m.* eagerness, promptness

s'empresser to hasten

enclin inclined, given to

encore still, yet, again

endormir to put to sleep; **endormi** asleep

énergique energetic

enfance *f.* childhood

enfant *m. or f.* child

enfin finally

enlever to take off, remove

énorme enormous

enseigner to teach

ensemble together

ensuite then, next

entendre to hear, understand; **c'est entendu** all right (it's agreed or understood)

entier entire, whole

entrain *m.* animation, life

entre between

entrée *f.* entrance, entry

entrer to enter, go into

entretenir to maintain

envie *f.* envy, desire; **avoir envie de** to want, desire

environ about, nearly

envoyer to send

épais thick

épanouissement *m.* expansion

épatant wonderful (*colloq.*)

épicerie *f.* grocery

épicier *m.* grocer

époque *f.* epoch

épuiser to exhaust

escroc *m.* crook, swindler

espagnol Spanish

espèce *f.* species, kind

espérer to hope

espoir *m.* hope

esprit *m.* wit, mind, intelligence, spirit

essayer to try

estomac *m.* stomach

établir to establish

étage *m.* story, floor

étalage *m.* display

état *m.* state; **États-Unis** United States

étonné astonished

étonnement *m.* astonishment

s'étonner to be astonished

étrange strange

étranger *m.* stranger, foreigner

être to be

étroit narrow

étudiant *m.* student

étudier to study

s'évanouir to faint, swoon

éveillé wide-awake

évidemment evidently

éviter to avoid

examen *m.* examination; **passer un examen** to take an examination

s'exclamer to exclaim

excuses *f.pl.* apologies

exiger to require, demand

explication *f.* explanation

expliquer to explain

exprimer to express

exquis exquisite

F

face; faire face à to face; **de face** full face

fâché angry, displeased

facile easy

façon *f.* fashion, way

faim *f.* hunger; **avoir faim** to be hungry

faire to make, do; **faire le beau** (of a dog) to sit up; **faire le mort** (of a dog) to play dead dog

fait *m.* fact

falloir to be necessary, need, must

famille *f.* family

faute *f.* fault, mistake

fauteuil *m.* armchair

faux (fausse) false

fébrilement feverishly
fébrilité *f.* feverishness
fécond fertile
féliciter to congratulate
femme *f.* woman, wife; **femme de chambre** maid, lady's maid
fenêtre *f.* window
ferme *f.* farm
fermer to close
fermeture *f.* closing
fermier *m.* farmer
fessée *f.* spanking
feu *m.* fire; **donner du feu à** to give a light to
feuille *f.* leaf, sheet (of paper)
feutre *m.* felt
fidèle faithful, loyal
fier proud
fierté *f.* pride
fiévreux feverish
figue *f.* fig
filer to follow, shadow
fille *f.* girl, daughter
fils *m.* son
fin fine, delicate, elegant
fin *f.* end
fleur *f.* flower
foi *f.* faith; **sous la foi du serment** under oath
fois *f.* time; **à la fois** at the same time
fond *m.* bottom, back
force *f.* force; **à force de** by dint of
forêt *f.* forest
fort strong; **c'est trop fort!** that's the limit!
fou (folle) mad, crazy
foule *f.* crowd
fournir to furnish, supply
fourrure *f.* fur
fraîchement recently, freshly
frais (fraîche) fresh, cool
français French
franchement frankly
franchir to cross
franchise *f.* frankness
frère *m.* brother
froid cold; **avoir—** to be cold
fromage *m.* cheese
front *m.* forehead
frotter to rub
fumer to smoke

fumoir *m.* smoking-room
fur, au—et à mesure que in proportion as, while

G

gagner to win, gain, earn
galant gallant, refined, polite
galanterie *f.* gallantry, courtly or chivalric politeness
gamin *m.* urchin
gant *m.* glove
garantir to guarantee
garçon *m.* boy, waiter; **garçon de ferme** farm hand
garde *f.* guard
garder to keep
gare! watch out!
gâteau *m.* cake; **gâteaux secs** cookies, little cakes
gauche left
gaz *m.* gas; **bec de gaz** gaslight, lamp post
gêner to annoy, embarrass, inconvenience
genou *m.* knee
gentil nice, kind, gentle
geste *m.* gesture
gifle *f.* slap
gigot *m.* leg of lamb
glace *f.* ice, mirror
glacière *f.* ice-box
glisser to slip, slide
gonfler to swell up
gorge *f.* throat
goût *m.* taste
grâce *f.* grace; **de bonne grâce** readily; **de mauvaise grâce** reluctantly; **grâce à** thanks to
grand big, tall, great, large
grandir to increase, grow big(ger)
grand-père *m.* grandfather
gratter to scratch
grièvement gravely
grimper to climb
gris gray
grommeler to mutter
gronder to scold
gros big
grossièrement roughly, rudely
grossièretés *f. pl.* rude words, insults
(ne) guère scarcely
guise; à ma guise as I like

H

Words beginning with an aspirate
h are shown by an asterisk

habile clever
habiller to dress
habitude *f.* custom, habit; **d'**—usually; **comme d'**—as usual
*****hâlé** tanned
*****haricot** *m.* bean, string bean, green bean, snap bean
*****hasard** *m.* chance
*****hâte** *f.* haste; **à la hâte** in a hurry
*****haut** high, (of voices) loud; **du**—**de** from the top of
*****hauteur** *f.* height; **à la hauteur de** equal to
hélas alas
hésiter to hesitate
heure *f.* hour, o'clock; **à la bonne heure!** good! fine! **de bonne**— early; **tout à l'**—a little while ago, in a little while
heureusement fortunately
heureux happy, fortunate
hier yesterday
hiver *m.* winter
homme *m.* man
honnête honest
*****honte** *f.* shame; **avoir honte** to be ashamed
*****hors-d'oeuvre** *m.pl.* appetizers
hôte *m.* host; guest
hôtel *m.* hotel, mansion
huit eight
huître *f.* oyster
*****hurler** to howl, yell

I

ici here
idée *f.* idea
image *f.* image, picture
immédiatement immediately
importe, n'—**quel** any; **n'**—**quoi** anything
impressionner to impress
inattendu unexpected
s'incliner to bow
inconnu unknown; *m.* stranger
inculpation *f.* accusation
inculpé *m.* accused man
indéfinissable indefinable
indice *m.* clue
indigné indignant
indiquer to indicate, point out

individu *m.* individual
inouï unheard of
inquiet anxious, worried
inquiétude *f.* anxiety
s'inscrire to enter one's name
instituteur *m.* teacher
insuffisant insufficient
interlocuteur *m.* person with whom one is speaking
interpeller to address, speak to
interroger to question
interrompre to interrupt
invité *m.* guest
italien Italian
ivre intoxicated; **ivre-mort** dead drunk
ivresse *f.* intoxication, drunkenness
ivrogne *m.* drunkard

J

jaloux jealous
jamais (without negative) ever; **ne . . . jamais** never
jambe *f.* leg
jardin *m.* garden
jeter to throw, cast
jeu *m.* play, game;—**de mots** pun
jeune young
jeunesse *f.* youth
joie *f.* joy
joindre to join; **joindre les deux bouts** to make both ends meet
joli pretty, beautiful, good looking
joue *f.* cheek
jouer to play
joueur *m.* player, gambler
jouir to enjoy
jour *m.* day; **tous les**—**s** every day
journal *m.* newspaper
journée *f.* day
judiciaire judiciary; **police judiciaire** criminal police
juillet *m.* July
juge *m.* judge; **juge de paix** justice of the peace
juger to judge, pass sentence, think, believe
jurer to swear
jusqu'à up to, as far as, until;—**ce que** until
juste just, exact; **au juste** exactly

K

kilo *m.* kilogramme (= 1000 grammes)

kiosque à journaux *m.* sidewalk newspaper-stand (shaped like a small kiosk)

L

là there; **ça et—**here and there
là-bas over there, yonder
laid ugly
laisser to leave, let
laitue *f.* lettuce
lancer to hurl
langue *f.* language, tongue
large wide
leçon *f.* lesson
lecture *f.* reading
léguer to bequeath
légume *m.* vegetable
lendemain *m.* the next day; **du jour au lendemain** in a very short time, from one day to the next
lentement slowly
lettre *f.* letter
lever to raise; **se—**to get up, rise
lèvre *f.* lip
libre free
lieu *m.* place; **au lieu de** instead of; **avoir lieu** to take place, occur
ligne *f.* line
liqueur *f.* cordial, liquor
lire to read
lit *m.* bed
littéraire literary
livre *m.* book; **livre de texte** text-book
livre *f.* pound (= 500 grammes: not an official French weight)
logique logical; *n.f.* logic
loin far; **au—**in the distance;—**de là!** far from it!
loisir *m.* leisure
long long; **le long de** along
longtemps long, for a long time
longuement at length
lorsque when
lumière *f.* light
lumineux luminous
lundi *m.* Monday
lune *f.* moon
lunettes *f.pl.* spectacles
lutter to fight, struggle
luxueux luxurious
lycée *m.* high school; lycee

M

machinalement mechanically
machine (à écrire) *f.* typewriter
mademoiselle *f.* miss
magasin *m.* store; **grand magasin** department store; **grand magasin de nouveautés** department store specializing in women's wear
magnifique magnificent
mai *m.* May
maigre thin, skinny, lean
main *f.* hand
maint many
maintenant now
mais but
maison *f.* house
maître *m.* master, teacher; **Maître** (*abbr.* M^e) title given to a lawyer: translate Mr.
maîtresse *f.* mistress, teacher
mal badly, ill, poorly; *n. m.* pain, sickness; **avoir du mal à** to have difficulty in; **pas mal de** (familiar) plenty of
malade sick
maladresse *f.* clumsiness, blunder
malgré in spite of
malheureusement unfortunately
manger to eat
manie *f.* mania
manière *f.* manner
manquer to lack, miss
manteau *m.* coat (woman's)
marchand(e) *m. or f.* vendor, seller, merchant
marché *m.* market
marcher to walk, march
mari *m.* husband
marquer to mark
matin *m.* morning
maudit cursed, confounded
mauvais bad
méchant bad, mean
médecin *m.* doctor, physician
médicament *m.* medicine
meilleur better; **le meilleur** the best; **bien—**much better
mélodieux melodious
même same, even, self, very; **de même que** the same as; **tout de—** just the same, nevertheless; **quand —**just the same
ménage *m.* household, couple

ménagement *m.* consideration, regard

mendiant *m.* beggar

mensonge *m.* lie

mentir to lie

mépris *m.* contempt

merci thank you

mère *f.* mother

mériter to deserve

merveille *f.* marvel; **à merveille** marvelously

mésaventure *f.* mishap, embarrassing happening

mesure *f.* measure; **fait sur mesure** made to order; **au fur et à mesure que** while, in proportion as

métier *m.* trade, job

métro *m.* subway (in Paris)

mettre to put, put on, place; **se mettre à** to begin, start

meubler to furnish

meubles *m.pl.* furniture

midi *m.* noon; **Midi** the South of France

miel *m.* honey

mieux better

milieu *m.* middle; **au—de** in the middle (midst) of

mille a thousand

mince thin

mine *f.* look, mien; **avoir bonne mine** to be looking well; **avoir mauvaise mine** to be looking bad

minuscule minute, extremely small

minuit *m.* midnight

miroir *m.* mirror

modeste modest, unpretentious

moindre less; **le moindre** the least

moins less; **du** or **au moins** at least

mois *m.* month

moitié *f.* half

monde *m.* world, society, people; **tout le monde** everybody

monsieur *m.* Mr., Sir, man, gentleman

monter to go (come, bring) up

montre *f.* watch

montrer to show

se moquer (de) to make fun (of)

moral *m.* morale

morceau *m.* piece, portion

mort dead

mot *m.* word

mouche *f.* fly

mouiller to wet

mourir to die

mur *m.* wall

myope near-sighted

N

nager to swim

naissance *f.* birth

nappe *f.* tablecloth

naturellement naturally

né born

néanmoins nevertheless

négligemment negligently

négliger to neglect

nerveux nervous

neuf nine

neuf, neuve new

neveu *m.* nephew

nez *m.* nose

ni . . . ni neither . . . nor

n'importe no matter

noblesse *f.* nobility

noces *f.pl.* wedding; **voyage de noces** wedding trip

Noël *m.* Christmas; **d'ici à—between** now and Christmas

noir black

nom *m.* name

nombreux numerous

nommer to name

non no; **non plus** neither, (after a negative) either; **mais—why no; pour sûr que—!** certainly not!

norvégien Norwegian

note *f.* bill

nouveau new; **à** or **de nouveau** anew, again

nouvelles *f.pl.* news; *sing.* bit of news

noyer to drown

nuage *m.* cloud

nuit *f.* night

O

obéir to obey

objet *m.* object

occasion *f.* occasion, opportunity

occuper to occupy; **s'occuper (de)** to busy oneself, take care (of)

œil *m.* eye; **coup d'œil** glance

offrir to offer

oiseau *m.* bird

ombre *f.* shade, shadow; **à l'ombre** in the shade

oncle *m.* uncle

onze eleven

opérer to operate, "work"

orage *m.* thunderstorm

ordinaire ordinary; **d'ordinaire** ordinarily

ordonnance *f.* prescription

ordre *m.* order, command

oreille *f.* ear

orgueil *m.* pride

orthographe *f.* spelling

oser to dare

ôter to take off, remove

oublier to forget

outre; **en outre** in addition (to)

ouvrir to open

P

pain *m.* bread

paix *f.* peace

panier *m.* basket

pantalon *m.* trousers

paquet *m.* package, pack

par by, through, per, on

paraître to appear

parapluie *m.* umbrella

parc *m.* park

parce que because

pardessus *m.* overcoat

par-dessus above, over; **par-dessus le marché** into the bargain ("to top it all")

pareil like, such, similar

paresseux lazy

parfait perfect

parfois sometimes, at times

pari *m.* bet, wager

parier to bet, wager

parisien Parisian

parler to speak, talk

parmi among

parole *f.* word; **adresser la parole (à)** to speak (to)

part; **nulle part** nowhere

partager to divide into parts, share

parti *m.* side, party; **prendre parti pour** to side with; **tirer—de** to make the best, most of

partie *f.* part, game

partir to leave, go away

partout everywhere

parvenir to succeed, reach

pas not; **pas du tout** not at all

passant *m.* passer-by

passer to pass, spend; **se passer** to

take place; **passer un examen** to take an examination

passionnant enthralling, gripping

pâtisserie *f.* pastry

patte *f.* paw, foot

pauvre poor

pays *m.* country

paysan *m.* peasant, countryman (boy)

paysanne *f.* peasant girl or woman

peine *f.* trouble, difficulty; **à peine** hardly; **être** or **valoir la peine** to be worth the trouble, be worthwhile

pendant during; **pendant que** while

pendule *f.* clock

péniblement with difficulty, painfully

pensée *f.* thought

penser to think

perchoir *m.* perch

perdre to lose

père *m.* father

Périgord *m.* Périgord (province in Southern France)

perle *f.* pearl

permettre to permit, allow

perroquet *m.* parrot

personne *f.* person; **ne**—nobody

petit small, little

peu little; **peu à peu** little by little

peur *f.* fear; **avoir peur** to be afraid

pièce *f.* piece, room

pied *m.* foot

piste *f.* trail, track, lead

piteux pitiful

place *f.* place; **en**—in order; **sur**—on the spot

plafond *m.* ceiling

plage *f.* beach, shore resort

plaindre to pity; **se plaindre** to complain

plaire to please; **s'il vous plaît** if you please, please

plaisir *m.* pleasure

plat *m.* plate, dish

platane *m.* plane tree

plateau *m.* collection plate

plein full

plonger to plunge

la plupart most

plus more, most; **de**—moreover; **non**—not . . . either, neither; **de—en**—more and more

plusieurs several
plutôt rather
poche *f.* pocket
poignet *m.* wrist
poire *f.* pear
poisson *m.* fish
poliment politely
politesse *f.* politeness
pomme *f.* apple; **pomme de terre** potato
pont *m.* bridge
populeux populous
porte *f.* door
porte-monnaie *m.* purse
porter to wear, carry
poser to place; **poser une question** to ask a question
posséder to possess
poste *m.* post; **poste de police** police station
poste *f.* post office
poudre *f.* powder
poule *f.* hen
pour for, in order to;—**que** so that; —**ma part,**—**moi** for my part
pourquoi why
poursuivre to pursue
pourtant however, nevertheless
poussée *f.* pushing
poussin *m.* chick
pouvoir to be able, can, may
prendre to take
près near
prescrire to prescribe
presque almost, nearly
presser to press; **se presser** to hurry
prêt ready
prétendre to claim
prévenir to inform, warn, give advance notice
prier to pray, beg, request
primaire primary
printemps *m.* spring
priver to deprive
prix *m.* price, cost; **à tout**—at any cost
prochain next
proche near
produire to produce
profond deep, profound
promenade *f.* walk, drive; **faire une promenade** to take a walk

se promener to walk, take a walk
promesse *f.* promise
promettre to promise
promu promoted
prononcer to pronounce
propice—propitious
propos, à—by the way
propre clean
propriétaire *m.* proprietor
prouver to prove
provision *f.* provision, advance payment, retainer
provisoire temporary, provisional
prudemment prudently
prune *f.* plum
puce *f.* flea
pupitre *m.* desk (student's desk in a classroom)

Q

quand when; **quand même** in spite of that, all the same
quant à as for, as to
quarantaine *f.* about forty
quart *m.* quarter
quartier *m.* quarter, district
quelque some; *pl.* a few
quelque chose *m.* something
quête *f.* quest; **faire la quête** to take up the collection
quinzaine *f.* about fifteen, a fortnight
quitter to leave
quoique although

R

raccommoder to mend
raconter to tell, relate
rafraîchissements *m.pl.* refreshments
raisin *m.* grape
raison *f.* reason; **avoir raison** to be right
rajeunir to make one look younger
ramasser to pick up
ramener to bring back
se rappeler to remember, recall
rapporter to bring back
rarement rarely
rassurer to reassure
rater to miss, fail, "flunk" (*colloq.*)
ravissant delightful
rayon *m.* counter, department (of a store)
réception *f.* reception, party; **salle de** —waiting room

recevoir to receive; **être reçu (à un examen)** to pass
recherché sought
récit *m.* story
recommander to recommend
reconnaissant grateful
reconnaître to recognize
réel real
réfléchir to reflect
regard *m.* look
regarder to look, look at
réjouir to rejoice
réjouissance *f.* rejoicing
remarquer to notice
remède *m.* remedy, cure
remercier to thank
remettre to put back; **remis en liberté provisoire** out on bail (lit. given temporary freedom) **se—à** to start, begin again
remonter to go back
rencontrer to meet
rendre to make, render, give back, return; **se rendre compte** to realize, become aware
renommé renowned
renseignement *m.* bit of information; *pl.* information
renseigner to inform
rentrer to return
renverser to upset, knock down, spill
repas *m.* meal
répéter to repeat
répondre to answer
réponse *f.* reply
reprise; à maintes reprises many times
reproche *f.* reproach
résoudre to solve
ressembler to resemble
reste *m.* rest, remainder; **du reste** moreover
rester to remain
retard *m.* delay; **en retard** late
retour *m.* return; **être de retour** to be back
retourner to return
retrouver to find again
réunion *f.* meeting
réunir to meet, gather together
réussir to succeed
rêve *m.* dream
réveiller to wake up

révéler to reveal
revenir to return
revivre to live again
revoir to see again
ride *f.* wrinkle
ridé wrinkled
rien nothing; **rien du tout** nothing at all; **rien qu'en** merely by; **ça ne fait rien** it makes no difference
rire to laugh
robe *f.* dress
roi *m.* king
roman *m.* novel; **roman policier** detective story
romancier *m.* novelist
rompre to break
rôti *m.* roast
rouge red; *n. m.* rouge
rougir to blush
route *f.* road; **en route** on the way
rouvrir to reopen
rue *f.* street
ruisseau *m.* brook

S

sac *m.* bag; **la main dans le sac** red-handed (*lit.* with his hand in the bag); **sac à main** handbag
sacré (*colloq.*) confounded, blasted, cursed
sage good, well-behaved
salé salty
salle *f.* room, hall; **salle de bain** bathroom; **salle de classe** classroom; **salle à manger** dining room; **salle d'audience du tribunal** courtroom
salon *m.* living room; salon (French social and intellectual gathering)
sans without
santé *f.* health
satisfait satisfied
sauce *f.* sauce, gravy
saucisse *f.* sausage
sauter to jump
savoir to know, know how
scolaire school, pertaining to school
seau *m.* bucket, pail
sec (sèche) dry
semaine *f.* week
sembler to seem
sens *m.* sense, meaning, direction
sensibilité *f.* sensitiveness
sensible sensitive

sentir to smell, feel; **se sentir** to feel
sept seven
sérieux serious, grave; **au**—seriously
sérieusement seriously
serment *m.* oath
serrer to press, squeeze; **se serrer la main** to shake hands
serviette *f.* napkin
servir to serve; **se servir de** to make use of
seul only, single, alone
si yes (after a negative)
siècle *m.* century
sieur *m.* Mr., Sire (*archaic or legal*)
signalement *m.* description
sinon otherwise, if not
sœur *f.* sister
soif *f.* thirst; **avoir soif** to be thirsty
soigner to care for, take care of
soigneusement carefully
soin *m.* care
soir *m.* evening
soirée *f.* evening; evening party
soleil *m.* sun
solennel solemn
sollicitude *f.* solicitude, sympathetic interest
somme *f.* sum
sommeil *m.* sleep
songer to dream, muse, think
sonner to ring
sonnerie *f.* bell; **sonnerie du téléphone** telephone bell
sonnette *f.* bell; **coup de sonnette** a ring (of a bell)
soporifique sleeping, causing sleep, soporific
sorte *f.* sort, kind; **de la**—in that way
sortir to go out, come out; *trans.* take out
sou *m.* sou (old French monetary denomination = 5 centimes)
soucieux worried, mindful, concerned
soudain suddenly
soulever to raise
soulier *m.* shoe
sourd-muet deaf mute
sous under, beneath
sourire *m.* smile; *v.* to smile
se souvenir (de) to remember
souvent often
spontanément spontaneously
stupéfait stupefied, dumfounded

stylo *m.* fountain pen
subir to undergo
sucre *m.* sugar
sud-ouest Southwest
sueur *f.* sweat, perspiration
suffire to suffice, be sufficient
suffisant sufficient
suffocant suffocating
suite *f.* continuation, sequel; **tout de**—immediately, right away
suivant following
suivre to follow
sujet *m.* subject; **à son**—on his account, about him
sûr sure; **pour sûr** surely; **pour sûr que oui!** sure!
sûreté *f.* safety, security; **Sûreté Nationale** French national detective bureau
surhumain superhuman
surnom *m.* nickname
surprendre to surprise, catch
surtout especially
surveillance *f.* supervision
surveiller to watch
suspect suspicious-looking, worthy of suspicion

T

tableau *m.* picture; **tableau noir** blackboard
tablette *f.* tablet, bar (of chocolate)
tablier *m.* apron
tache *f.* spot
tâcher to try
taille *f.* stature, figure, waist
taire, se—to be (keep) silent
tandis que while, as
tant to much, so many;—**que** as long as;—**mieux** so much the better
tante *f.* aunt
tapis *m.* rug
tard late
tasse *f.* cup
tel, telle such; **un**—such a
témoin *m.* witness
temps *m.* time, weather, tense; **de temps en temps** from time to time: **à**—in time; **en même**—at the same time
tendre tender
tendre to hold out
tenir to hold, keep; **tenez!** here! see here! **tenir à** to insist on, be

fond of; **se tenir sur ses gardes** to watch out

terme *m.* limit, end

terminer to end, terminate

terre *f.* earth

tête *f.* head

texte *m.* text; **livre de texte** text-book

tiers *m.* third

tire; vol à la tire picking pockets

tirer to draw, pull, take (out)

tiroir *m.* drawer

titre *m.* title

tomber to fall

ton *m.* tone

tort; avoir tort to be wrong; **à—ou à raison** rightly or wrongly

toujours always, still

toupet *m.* (*colloq.*) nerve

tour *m.* turn; **faire un tour** make a turn, take a walk; **tour à tour** in turn

tourner to turn

tout all; **tout à coup** suddenly; **tout à fait** completely; **tout le monde** everybody; **tout de suite** immediately, at once; **pas du—**not at all;— **en parlant** while speaking

toutefois however

traduire to translate

trahir to betray

train *m.* train; **être en train de** to be in the act of, busy

traiter to treat;—**d'ignorant** to call (someone) an ignoramus

tramway *m.* streetcar

tranche *f.* slice

tranquille—calm, quiet

tranquillement tranquilly, quietly

travail *m.* work

travailler to work

travers; à travers across

treize thirteen

trente thirty

très very

trésor *m.* treasure

triste sad

tristesse *f.* sadness

tromper to deceive; **se tromper** to be mistaken, make a mistake

trop too, too much

troubler to disturb; **se troubler** to be disconcerted

troué with a hole (*or* holes) in it.

trouver to find; **se trouver** to be

tutoyer, se—to "thee and thou" each other

U

unique sole, only, single

universitaire which contains or belongs to a university

usé worn out

utile useful

V

vacances *f.pl.* vacation

vagabond *m.* vagabond, hobo, tramp

valeur *f.* value, amount

valoir to be worth; **valoir mieux** to be worth more, be better; **il vaut mieux** it is better

varié varied

vaurien *m.* good-for-nothing

veau *m.* veal, calf

veiller to watch

vendeuse *f.* saleslady

vendre to sell

venir to come; **venir de** to have just

vente *f.* sale

vérité *f.* truth

verre *m.* glass

vers towards

vert green

vêtements *m.pl.* clothes

vêtir to dress; **vêtu** dressed

veuve *f.* widow

viande *f.* meat

vide empty

vider to empty

vie *f.* life

vieillard *m.* old man

vieux old; **mon—**old man, my good fellow

vif keen, lively

vilain ugly, nasty

ville *f.* city, town

vin *m.* wine

vingt twenty

vingt-trois twenty-three

visage *m.* face

vite quick

vivre to live

voici here is, here are, now it is

voie *f.* way, track; **voie publique** public streets

voilà there is, there are

voir   to see; **faire**—to show
voisin *m.*   neighbor; *adj.* neighboring
voiture *f.*   carriage, car
voix *f.*   voice; **à voix basse** in a whisper, in a low voice; **à voix haute** in a loud voice
vol *m.*   theft
voler   to steal
vouloir   to wish, want; be willing; **vouloir dire** to mean; **en vouloir à** to be angry with, have a grudge against
voyage *m.*   trip
voyageur *m.*   traveler
vrai   true
vraiment   really, truly
vue *f.*   sight

Z

zélé   zealous